Analinai

PIRMAS

JUODU BUVO JAUNI, IŠSILAVINĘ IR IKI TOL — SAVO VESTUVIŲ nakties — skaistūs, taip pat gyveno tokiu metu, kai kalbėtis apie seksualines problemas buvo visiškai neįmanoma. Bet ir niekada nebuvo lengva. Juodu ką tik susėdo vakarieniauti mažutėje svetainėje, pirmame karaliaus Jurgio epochos svečių namų aukšte. Pro atdaras duris gretimame kambaryje matėsi lova su baldakimu, gana siaura, su baltutėlaite lovatiese, užklota stebėtinai lygiai, lyg ne žmogaus rankos. Edvardas neužsiminė, kad dar niekada anksčiau jam netekę apsistoti viešbutyje, o Floransa po daugelio kelionių vaikystėje su savo tėvu šiuo atžvilgiu buvo senas vilkas. Iš pažiūros abu atrodė puikiai nusiteikę. Jungtuvės Oksfordo Šv. Marijos bažnyčioje praėjo gerai; pamaldos buvo kaip dera, pobūvis — linksmas, mokyklos ir koledžo draugų palydos — triukšmingos ir pakylėjančios dvasią. Jos tėvai, kaip juodu ir baiminosi, nesiteikė nusileisti iki jo gimdytojų lygio, o jo motina labai nenusižengė elgesio normoms arba visiškai pamiršo įvykio paskirtį. Porelė išvažiavo mažu Floransos motinos automobiliu ir ankstų vakarą atvyko į viešbutį Dorseto pajūryje, kai laikėsi orai, ne per puikiausi kaip liepos viduriui ar aplinkybėms, bet visiškai pakenčiami: nelijo, bet ir nebuvo, anot Floransos, taip šilta, kad būtų galima valgyti lauko terasoje, kaip jųdviejų tikėtasi. Edvardas manė kitaip, bet, pernelyg mandagus, nė nebūtų pagalvojęs tokį vakarą jai prieštarauti.

Taigi juodu valgė savo kambariuose prie pusiau pravirų stiklinių durų į balkoną su vaizdu į Anglų kanalą* ir Česilo neriją**, ištisai iki begalybės nuklotą gargždo. Du vyrukai su smokingais patarnavo jiems nuo stalelio su ratukais, pastatyto už durų koridoriuje, ir kai vaikštinėjo po apartamentų numerį, apskritai žinomą kaip medaus mėnesio liuksas, vaškuotos ąžuolinės grindys komiškai girgždėjo tyloje. Išdidus ir budrus, jaunuolis atidžiai stebėjo, ar nepamatys kokių nors gestų ar veido minų, kurie būtų galėję atrodyti satyriški. Edvardas nepakęstų bet kokio krizulio vogčiomis. Bet tie vaikinai iš gyvenvietės netoliese dirbo savo darbą palinkusiomis nugaromis ir neišsiduodančiais veidais, laikėsi nedrąsiai, ir kai statė ant iškrakmolytos lininės staltiesės patiekalus, jų rankos drebėjo. Jie irgi nervinosi.

Anglų virtuvės istorijoje tai nebuvo geras tarpsnis, bet anuo metu niekas labai neimdavo to į galvą, neskaičiuojant svečių iš užsienio. Oficialus valgis anuomet dažniausiai prasidėdavo griežiniu meliono, papuoštu vienintele užšaldyta vyšnia. Už durų koridoriuje sidabriniuose dubenyse ant žvake

---

* Šitaip anglai vadina Lamanšo sąsiaurį. *Čia ir toliau paaiškinimai vertėjo.*
** Angl. *Chesil Beach* — aštuoniolikos mylių pietinės Anglijos kranto ruožas Dorseto grafystėje, sąsmauka nusidriekiantis nuo Portlando salos pietuose į šiaurės vakarus iki Vest Bėjaus, 29 km ilgio, 200 m pločio ir 15 m aukščio (dar vadinamas *Chesil Bank* — Česilo pylimu), skirianti jūrą nuo lagūnos, vadinamos *Fleet* — Užutėkiu. Vietovė įtraukta į pasaulinį Juros periodo krantų paveldą.

kaitinamų lėkščių šildyklių laukė riekės rostbifo patirštintame riebiame padaže su minkštai išvirtomis daržovėmis ir melsvo atspalvio bulvėmis. Vynas buvo prancūziškas, nors konkretus regionas etiketėje nenurodytas — ji tik pagražinta viena skriejančia kregžde. Edvardui nebūtų atėję į galvą užsakyti raudonojo.

Nekantraudami, kada patarnautojai pagaliau pasišalins, jis ir Floransa pasisuko kėdėmis pasigėrėti vaizdu: plačia samanota veja, o už jos — žydinčių krūmų tankumynu ir medžiais, besiglaudžiančiais prie stataus skardžio, nusileidžiančio į keliuką, kuris vedė į pakrantę. Jiedviem buvo matyti pradžia pėsčiųjų takučio, purvinais laiptukais krintančio žemyn, ir palei tą kelią abipus vešėjo nepaprasto dydžio piktžolės — jos atrodė panašios į milžiniškus rabarbarus ir kopūstus išbrinkusiais, per šešių pėdų aukščio stiebais, linkstančiais nuo tamsių storagyslių lapų svorio. Sodo augalija stiebėsi aukštyn, savo gausa glamonėjanti akį ir tropinė, o tą įspūdį dar stiprino pilkas, romus, lengvas ir silpnas rūkelis, slenkantis nuo jūros, kuri nuolat puldama ir traukdamasi kėlė švelnų grumesį, o paskui staiga sušnypšdavo į akmenukus. Po vakarienės juodu planavo persiauti prastesniais batais ir pasivaikštinėti gargždo nerija tarp jūros ir lagūnos, žinomos kaip Užutėkis, ir jeigu dar nebus išbaigę vyno, pasiimsią butelį ir gersią iš kakliuko kaip kokie keliauninkai.

Be to, juodu turėjo tiek daug planų, svaiginančių planų, susikaupusių prieš abu miglotoje ateityje, persipynusių taip tankiai kaip Dorseto kranto vasaros augmenija ir tokių pat gražių. Kur ir kaip gyvensią, kas būsią artimi jų draugai, jo darbas jos tėvo firmoje, jos muzikinė karjera ir ką darys su pinigais, kuriuos davė jai tėvas, ir kad juodu nebūsią kaip kiti žmonės — bent iš vidaus. Tai vis dar buvo laikotarpis, — jis baigsis vėliau tą nuostabųjį dešimtmetį, — kai būti jaunam reiškė socialinius suvaržymus, savo nereikšmingumo žymę, šiek tiek nepatogią būklę, ir santuoka buvo gydymosi nuo to pradžia. Beveik svetimi, juodu stovėjo keistai drauge naujoje gyvenimo viršūnėje, džiūgaujantys, kad nauja jų padėtis žadėjo kilstelėti abu iš nesibaigiančios jaunystės — Edvardas ir Floransa pagaliau laisvi! Viena iš mėgstamiausių jųdviejų temų buvo sava vaikystė, — ne tiek šios malonumai, kiek visokių nesusipratimų painiava, iš kurios abu pagaliau išsigavo, — ir įvairios gimdytojų klaidos bei senamadiški įpročiai, kurių dabar galės atsižadėti.

Iš tų naujų aukštumų juodu matė aiškiai, bet nepajėgė vienas kitam apibūdinti kai kurių prieštaringų jausmų: abu atskirai nerimavo dėl tos akimirkos, kažkada netrukus po pietų, kai bus išmėginta naujoji jų branda, kai turės kartu sugulti ant keturių stulpelių lovos su baldakimu ir iki galo atsiskleisti vienas kitam. Visus metus Edvardas jautėsi pakerėtas perspektyvos, kad tam tikrą liepos datą, vakare, juslingiausia jo dalelė atsidurs, nors ir kaip trumpam, tos linksmos, dailios, baisiai protingos moters įduboje, iš prigimties susiformavusioje jos viduje. Kaip tai teks pasiekti nepasirodant kvailu ar nenuviliant, kėlė jam nerimą. Ypatingas jo rūpestis, grindžiamas viena nesėkminga patirtimi, buvo dėl pernelyg didelio įsiaudrinimo,

kurį jis girdėjęs kai ką apibūdinant kaip „per greitą pabaigą".
Tas dalykas retai išeidavo jam iš minčių, bet nors baimė dėl
nesėkmės buvo didelė, dar didesnis buvo nekantrumas — pa-
tirti ekstazę, išsikrauti.

Floransos rūpesčiai buvo rimtesni, ir kartkartėmis, kelio-
nės iš Oksfordo metu, ji pagalvodavo, kad tuoj tuoj sukaups
visą savo drąsą ir išsakys, kas guli ant širdies. Bet to, kas kėlė
jai nerimastį, neįmanoma buvo ištarti, ir ji vos pajėgė tai su-
formuluoti sau. Jis dėl pirmosios nakties jautė tik tradicinę
nervinę įtampą, o ji išgyveno instinktyvų siaubą, bejėgišką
pasidygėjimą, taip pat juntamą kaip jūrligė. Didžiumą laiko,
per visus tuos linksmus mėnesius rengiantis vestuvėms, jai
pavykdavo pamiršti tą savo laimės dėmę, bet vos tik mintys
pakrypdavo į artimas glamones, — kitokio termino nebuvo
linkusi rinktis, — skrandį sausai sutraukdavo, į gerklę pakilda-
vo šleikštulys. Šiuolaikiškoje, su žvilgsniu į priekį parankinėje
knygoje, neva skirtoje pagelbėti jaunosioms nuotakoms, su
džiugiais tonais, šauktukais ir daugybe iliustracijų, ji užtiko
tam tikras frazes ar žodžius, nuo kurių kone paspringo: *glei-
vinės plėvelė* ir kraupi bei blizganti *varpos galva*. Kiti sakiniai
žeidė jai protą, ypač tie apie įeigas: *Netrukus prieš jam įeinant į
ją...* arba: *dabar pagaliau jis įeina į ją...* ir: *laimė, netrukus po to,
kai jis į ją įėjo...* Ar ji privalanti dėl Edvardo tą naktį pavirsti lyg
kokiu portalu ar svetaine, per kuriuos jis galėtų stumtis? Be-
maž taip pat dažnai pasitaikydavo žodis, kuris kėlė jai mintis
apie ne ką kitką, kaip tik skausmą, apie nuo peilio prasiskirian-
tį kūną: *įsiskverbimas.*

Optimistinėmis akimirkomis ji mėgindavo save įtikinti, kad kentės ne daugiau kaip tik stipresnio pasidygėjimo atmainą, kuri turėtų praeiti. Žinoma, vien pagalvojus apie Edvardo sėklides, kybančias žemiau jo *pritvinkusio* penio, — dar vienas pasibaisėtinas terminas, — apatinė jos lūpa išvipdavo, o mintis, kad pati bus lytima „ten žemai" kažkieno kito, net to, kurį myli, buvo tokia pat atgrasi kaip, tarkime, chirurginė intervencija į jos akį. Bet Floransos pasidygėjimas nėjo iki kūdikių. Mėgo juos; kartkartėmis prižiūrėdavusi savo pusseserių mažylius, ir tai jai patikdavo. Ji manė, kad bus smagu pastoti nuo Edvardo, ir nesibaimino, bent abstrakčiai, gimdymo. Kad tik kaip Jėzaus motina ji galėtų pasiekti tokią išpūstą būseną per stebuklą.

Floransa įtarė, kad jai kažkas labai negerai, kad visada buvusi kitokia ir kad pagaliau tai turės atsiskleisti. Jos problema, mąstė Floransa, didesnė, gilesnė nei paprastas fizinis pasišlykštėjimas; visa jos esybė maištavo prieš susijungimą ir kūniškumą; bus išprievartauti jos savitvarda ir visa, kas būtina laimei. Paprasčiausiai ji nenorėjo būti „įeinama" ar „įsiskverbiama". Seksas su Edvardu negalėtų būti jos džiaugsmo viršūnė, bet buvo kaina, kurią privalanti už tai sumokėti.

Ji žinojo, kad būtų turėjusi apie tai atvirai pasikalbėti jau seniai, kai tik jis pasipiršo, gerokai anksčiau prieš jiedviem apsilankant pas nuoširdų ir švelnaus balso vikarą ir pietus su jų kiekvieno tėvais, prieš pakviečiant į vestuves svečius, kol dar nebuvo sudarytas ir įteiktas universalinei parduotuvei dovanų sąrašas, kol dar nebuvo išsinuomota didžiulė padangtė ir nusamdytas fotografas, taip pat kol dar nebuvo padaryta visų kitų neatšaukiamų parengtinių darbų. Tačiau ką gi būtų galėjusi ji pasakyti, kokius įmanomus žodžius pavartoti, kai nebūtų pajėgusi įvardyti to dalyko pačiai sau? Be to, mylėjo Edvardą — ne karšta aistra, nuo kurios pašlampama, kaip ji buvo skaičiusi, bet šiltai, iš visos širdies, kartais kaip duktė, kartais bemaž motiniškai. Jai patiko prie jo glaustytis, justi jo didžiules rankas sau ant pečių, būti jo bučiuojamai, nors nemėgdavo, kai jo liežuvis atsidurdavo jos burnoje, ir be žodžių leido tai aiškiai suprasti. Ji manė jį esant originalą, nepanašų į bet kurį kitą jos kada nors pažinotą. Jis visada švarko kišenėje nešiodavosi kokią nors knygą, dažniausiai istorijos, minkštais viršeliais — tam atvejui, jeigu tektų stovėti kur nors eilėje ar sėdėti laukiamajame. Ką būdavo perskaitęs, pasižymėdavo pieštuko galiuku. Faktiškai jis buvo vienintelis iš Floransai pažįstamų nerūkantis vyriškis. Nė viena iš jo kojinių nebuvo į porą. Turėjo jis tik vieną kaklaraištį — siaurą, trikotažinį, tamsiai mėlyną, kurį beveik visą laiką nešiojo prie baltų marškinių. Ji žavėjosi jo smalsiu protu, šiek tiek kaimiška tartimi, didžiule rankų jėga, nenuspėjamais kalbos posūkiais ir nuokrypiais, tuo, koks buvo jai geras ir tuo, kaip kalbant švelnios rudos jo akys sustodavo ties ja, versdamos jaustis gaubiamai jaukaus meilės debesio. Dvidešimt dvejų metų, ji nė kiek neabejojo norinti nugyventi likusį savo gyvenimą kartu su Edvardu Meihju. Kaipgi būtų drįsusi rizikuoti jį prarasti?

Nebuvo nieko, su kuriuo ji būtų galėjusi pasikalbėti. Ruta, jos sesuo, buvo per jauna, o motina, savaip nepaprastai nuostabi, buvo pernelyg intelektuali, pernelyg bruzdi — senamadiška mokyta pedantė. Kai tik susidurdavo su kokia nors intymia problema, ji linkdavo į oficialią laikyseną, lyg skaitytų viešą paskaitą auditorijoje, pasitelkdama kuo ilgesnius žodžius ir remdamasi nuorodomis į knygas, kurias, jos nuomone, kiekvienas turėtų būti perskaitęs. Tiktai po to, kai dalykas būdavo šitaip saugiai įvyniojamas į vatą, kartkartėmis ji sau leisdavo atsipalaiduoti ir pereiti į geraširdišką toną, nors tai pasitaikydavo retai, ir netgi tada negalėdavai suprasti, kokį patarimą išklausai. Floransa turėjo iš mokyklos ir muzikos koledžo laikų labai mielų draugių, kurios kėlė priešingą problemą: jos dievino intymius pokalbius ir mėgavosi viena kitos keblumais. Jos visos tarp savęs susižinodavo ir pernelyg uoliai naudodavosi telefono skambučiais ir laiškais. Ji negalėjo patikėti savo draugėms kokios nors paslapties, bet ir nesmerkė jų, nes priklausė tai pačiai šutvei. Nebūtų pasitikėjusi net ir savimi pačia. Taigi liko viena pati su problema, nežinodama, kaip pradėti šios imtis, ir viską, ką turėjo, iš kur galėtų pasisemti išminties — tai tik savąjį vadovą minkštais viršeliais, kurių neskoningame raudoname fone pavaizduotos dvi šypsančios, išverstakės, plonytės it degtukai figūros, susikibusios rankomis — negrabiai, tartum neįgudusios nekalto vaiko pabraižytos balta kreida.

MAŽIAU KAIP PER DVI MINUTES JUODU SUVALGĖ MELIONĄ, O vaikinai, užuot laukę koridoriuje, stovėjo gana atokiai, netoli durų, čiupinėdamiesi pirštais varlikes, ankštas apykakles ir taisydamiesi rankogalius. Abejingi jų veidai nė kiek nepersimainė, kai stebėjo Edvardą ironišku gestu paduodant Floransai savąją užšaldytą vyšnią. Žaismingai ji iščiulpė vyšnią iš jo pirštų ir atlaikė žvilgsnį, kol pamažu šią kramtė, leisdama jam pamatyti jos liežuvį ir suvokdama, kad šitokiu flirtu viską sau pasunkinsianti. Neturėtų pradėti to, ko nepajėgsianti ištverti, bet kuo labiau jam įtikti buvo naudinga: padėjo jai jaustis nevisiškai niekam tikusia. Jeigu tik valgyti lipnią vyšnią buvo viskas, ko iš jos reikalaujama.

Norėdamas parodyti, kad jo netrikdo esantys patarnautojai, nors ir troško, kad šie pasišalintų, Edvardas nusišypsojo, atsilošdamas su vyno taure rankoje, ir paklausė sau per petį:

— Daugiau tokių dalykėlių nėra?

— Ne, sere. Apgailestaujame.

Bet ranka, laikanti vyno taurę, drebėjo — jis stengėsi suturėti savyje staiga užliejusią laimę, egzaltaciją. Floransa priešais tartum švytėjo ir atrodė patraukliai — neįtikimai graži, jausminga, talentinga, geros širdies.

Ką tik kalbėjęs berniokas žengtelėjo į priekį nurinkti stalo. Čia pat už durų jo draugas dėjo į jų lėkštes antrą patiekalą — rostbifą. Įridenti stalelio ant ratukų į medaus mėnesio liuksą, kad būtų galima deramai išdėlioti sidabrinį servizą, buvo neįmanoma — mat tarp kambario ir koridoriaus buvo dviejų laiptukų aukščio skirtumas: dėl nevykusio suplanavimo, kai karalienės Elžbietos epochos ūkio gyvenamasis namas aštuoniolikto amžiaus viduryje buvo „sujurgintas".

Porelė trumpam liko viena, nors pro atdaras duris juodu

girdėjo brazdant į dubenis šaukštus ir tarp savęs murmant vaikinus. Edvardas padėjo delną ant Floransos plaštakos ir sušnabždėjo, jau kažkelintą kartą tądien:

— Myliu tave.

O ji atsakė visai taip pat ir iš tiesų nuoširdžiai.

Edvardas pirmuoju buvo įgijęs Londono universiteto koledže istorijos mokslų magistro laipsnį. Per trumpus trejus metus studijavo karus, sukilimus, badus, epidemijas, kaip kilo ir žlugo imperijos, revoliucijas, surijusias savo vaikus, žemės ūkio sunkumus, pramonės sukeltą skurdą, valdančiųjų elitų žiaurumus — ryškią priespaudos, kančių ir neišsipildžiusių vilčių panoramą. Jis suprato, kokie suvaržyti ir vargingi gyvenimai gali būti, karta po kartos. Plačiai į viską pažvelgus, taikingi klestintys laikai, kuriuos Anglija šiuo metu gyveno, pasitaikydavo retai, ir juose jo ir Floransos džiaugsmas buvo išskirtinis, net unikalus. Per paskutiniuosius metus jis parašė specialią studiją apie „didžiojo žmogaus" teoriją istorijoje — ar iš tiesų išėję iš mados manyti, kad stiprios asmenybės gali formuoti tautų likimą? Jo mokslinio darbo vadovui būtent šitaip ir atrodė: atseit Istorija, deramai vertinama, varoma į priekį nesustabdomų jėgų link neišvengiamų, būtinų tikslų, ir netrukus ši disciplina bus suprantama kaip mokslas. Bet gyvenimai, kuriuos Edvardas smulkiai tyrinėjo — Cezario, Karolio Didžiojo, Frydricho Antrojo, Jekaterinos Didžiosios. Nelsono ir Napoleono (primygtinai reikalaujant mokslinio darbo vadovui, Staliną jis praleido) — veikiau leido manyti priešingai. Nuožmi asmenybė, atviras oportunizmas ir laimė, įrodinėjo Edvardas, gali pakreipti milijonų likimus — per tą savavalę išvadą pelnė pažymį „B" su minusu, vos neišstačiusį pavojun jo pirmosios vietos.

Šalutinis atradimas buvo tas, kad net legendinė sėkmė atnešdavo mažai laimės, tik didesnį nerimą, graužiančią garbėtrošką. Tąryt, rengdamasis vestuvėms (frakas, cilindras, visi drabužiai perdėm iškvėpinti odekolonu), jis nusprendė, kad niekas iš figūruojančiųjų svečių sąraše negalėtų žinoti, kokį jaučia pasitenkinimą. Pakili jo nuotaika pati savaime buvo didybės išraiška. Štai jis, nuostabiai save realizavęs arba beveik realizavęs žmogus. Dvidešimt dvejų metų amžiaus, o jau pranokęs juos visus.

Dabar žiūrėjo į savo žmoną, į rusvas, įmantriai taškuotas jos akis, į tuos tyrus baltymus, vos vos nuspalvintus paties nežymiausio drumsto melsvumo. Blakstienos tankios ir tamsios — kaip vaiko; taip pat kažką vaikiška turėjo ir rimtas jos veidas ramybėje. Gražus veidas, it iškaltas skulptūroje ir prie tam tikro apšvietimo primenantis Amerikos indėnės, aukštakilmės *skvo*. Smakras stiprus, šypsena plati ir natūrali, pereinanti tiesiai į raukšleles akių kampučiuose. Floransa buvo stambių kaulų — kai kurios matronos per tuoktuves išmaniai pakomentavo apie jos plačius klubus. Krūtys, kurios Edvardo lytėtos ir net bučiuotos, nors niekur pakankamai arti spenelių — mažos. Smuikininkės plaštakos — blyškios ir tvirtos kaip ir visos ilgos rankos; mokyklos laikais sportuodama ji puikiai mėtė ietį.

Edvardas niekada nesižavėjo klasikine muzika, bet dabar buvo beišmokstąs žvitraus šios žargono — *legato, pizzicato, con brio*. Pamažu, per nuolatinius kartojimus, jis buvo bepradedąs atpažinti ir net pamėgti kai kuriuos dalykėlius. Buvo toks vienas, jos grojamas su savo draugais, kuris ypač jį jaudindavo. Kai namie repetuodavo savo gamas ir *arpeggios*, ji tartum Alisa Veidrodžio karalystėje plaukus turėdavo susitvirtinusi lankeliu — tas mielas bruožas jam sukeldavo svajonę apie dukterį, kurios galbūt jiedu kada nors susilauks. Grodavo Floransa lengvai ir tiksliai, buvo žinoma savo išgaunamų tonų sodrumu. Vienas mokytojas sakė niekada dar nesutikęs mokinio, kuris priverstų atvirą stygą skambėti taip šiltai. Kai stovėdavo priešais pultą repeticijų salėje Londone arba savo kambaryje tėvų namuose Oksforde, o Edvardui drybsant ant lovos ir geidžiant jos, Floransa laikydavosi grakščiai, tiesia nugara ir išdidžiai pakelta galva, skaitydama muzikos natas valdinga, bemaž iškilnia veido išraiška, kuri kėlė jam jaudulį. Toji išvaizda turėjo tokio tikrumo, tokio kelio į malonumą išmanymo.

Kai reikalas būdavo susijęs su muzika, ji visada būdavo pasitikinti savimi ir sklandžių judesių — įtrindama kanifolija stryką, iš naujo sustyguodama savo instrumentą, pertvarkydama kambarį, kad jame galėtų sutilpti trys koledžo laikų draugai styginiam kvartetui, kuris buvo jos aistra. Floransa buvo neginčijamas lyderis ir visada tardavo paskutinį žodį daugelyje jų muzikinių nesutarimų. Bet visame kitame savo gyvenime ji buvo stebėtinai nemikli ir neužtikrinta, amžinai užsigaunanti pėdos pirštą, apverčianti daiktus ir atsimušanti į ką nors galva. Pirštai, kurie pajėgdavo susidoroti su grojimu iškart dviem stygomis kokioje nors Bacho partitoje, būdavo tokie pat miklūs išlieti pilną arbatos puodelį ant lininės staltiesės ar numesti stiklinę ant akmeninių grindų. Jai susipainiodavo kojos, jeigu manydavo esanti kieno nors stebima — kartą prisipažino Edvardui, kad jai kančia būti gatvėje, žengti iš tolo kokio nors draugo link. Ir kai tik ji dėl ko nors nerimaudavo ar varžydavosi, vis kilstelėdavo plaštaką prie kaktos nusibraukti į šalį įsivaizduojamos plaukų sruogos. Tas švelnus, baikštus judesys tęsdavosi dar ilgai po to, kai streso priežasties nebelikdavo.

Kaip jis galėtų nemylėti tokios taip keistai ir šiltai ypatingos, taip kankinamai atviros ir drovios, kurios visos mintys ir jausmai atrodė apnuoginti apžiūrai, srūvantys it elementariosios dalelės su elektros įkrova jos besimainančiu veidu ir gestais? Net ir be to tvirtų kaulų grožio jis būtų ją mylėjęs. O ji mylėjo jį taip stipriai, su tokiu kankinamu fiziniu santūrumu, kad buvo sužadinti ne tik jo geiduliai, dar stipresni stokojant tinkamos iškrovos, bet ir globėjiški instinktai. Bet ar iš tikrųjų ji tokia pažeidžiama? Sykį jis slapčia žvilgtelėjo į jos mokyklinių charakteristikų aplanką ir pamatė protinių gabumų testavimo rezultatus: šimtas penkiasdešimt du — septyniolika punktų aukščiau jo paties įvertinimo. Tai buvo laikai, kai tie protinio lavėjimo koeficientai laikyti kaip matas ko nors tokio apčiuopiamo kaip ūgis ar svoris. Kai jis sėdėdavo kvarteto repeticijoje, ir jos nuomonė dėl frazuotės, tempo ar dinamikos išsiskirdavo su Čarlzo, putlaus ir kategoriško violončelininko, kurio veidas žydėjo vėlyvai prasimušusiais inkštirais, Edvardui keldavo nuostabą, kokia šalta Floransa galėdavo būti. Ji nesiginčydavo, tik ramiai išklausydavo ir paskelbdavo, ką nusprendusi. Tokiais atvejais — nė ženklo jos mažučio plaukus nubraukiančio gesto. Išmanė savo dalyką ir buvo pasiryžusi vadovauti — kaip ir derėtų pirmajam smuikui. Atrodė sugebanti priversti savo gana bauginantį tėvą daryti tai, ko ji norėdavo. Dar daug mėnesių iki vestuvių jis, jai užsiminus, pasiūlė Edvardui darbą. Ar jis iš tikrųjų šio troško, ar drįso atsisakyti — tai jau kitas dalykas. Ir Floransa tiksliai žinojo, — kažkokia moteriška nuojauta, — ko reikės per tą šventę, pradedant nuo padangtės dydžio iki vasarinio pudingo kiekio, ir kiek būtent pagrįsta tikėtis, kad sumokės jos tėvas.

— ŠTAI, ATNEŠA, — PAŠNABŽDĖJO JI, SPUSTELĖDAMA JAM ranką ir perspėdama, kad staiga nepamėgintų dar kokio nors intymumo.

Patarnautojai įėjo su lėkštėmis rostbifo — jam buvo įdėta dvigubai daugiau negu jai. Taip pat jie atnešė plaktos grietinėlės su cheresu, čederio ir mėtinių šokoladukų — tą viską sudėliojo ant bufeto. Sumurmėję patarimą apie šalia židinio esantį iškviečiamąjį skambutį, — jį reikia stipriai paspausti ir palaikyti, — vaikinai pasišalino, itin rūpestingai uždarydami paskui save duris. Paskui suskimbčiojo tolyn koridoriumi stumiamas stalelis su ratukais, o po kažkiek tylos sugriaudėjo ūksmai ir šūksmai — visai lengvai galėję būti palaikyti atsklindantys iš viešbučio baro apačioje, ir pagaliau jaunavedžiai liko deramai vieni.

Stiprėjančio vėjo gūsis atnešė jiems lūžtančių bangų garsą — lyg tolumoje dužtų stiklai. Rūkas kilo, iš dalies atidengdamas žemų kalvų apybrėžas, vingiuojančias virš kranto linijos tolyn į rytus. Jiedviem buvo matyti švytinti lygi pilkuma, kuri galėjo būti į šilką panašus pačios jūros ar lagūnos paviršius, o gal dangus — sunku buvo pasakyti. Pasikeitęs brizas pro praviras stiklines balkono duris dvelkė vilione, druskingu deguonies aromatu ir atvira erdve, tartum visai nesiderinančia su krakmolyta linine staltiese, kvietiniais miltais patirštintu padažu ir kruopščiai nušveistais sidabriniais indais, kuriuos juodu ėmė į rankas. Vestuvių pietūs buvo gausūs ir ilgi. Abu nesijautė alkani. Visai galėtų, bent teoriškai, palikti lėkštes, pasičiupti už kaklelio vyno butelį ir nubėgti į pakrantę, o ten nusispirti batus ir džiaugtis savo laisve. Viešbutyje nebuvo nieko, kas panorėtų juos sustabdyti. Pagaliau juodu suaugę, atostogauja, laisvi daryti ką tinkami. Vos už kelerių metų tai bus ganėtinai įprastas dalykas, kokį daro jauni žmonės. Bet kol kas abu varžė gyvenamas laikas. Edvardas ir Floransa net būdami vieni turėjo taikytis su daugybe garsiai neišsakomų taisyklių. Kaip tik todėl, kad buvo suaugę, jie nesielgė vaikiškai, pavyzdžiui, negalėjo nueiti nuo valgio, kurį kiti taip stengėsi pagaminti. Šiaip ar taip, juk vakarienės metas. Ir elgtis vaikiškai dar nebuvo gerbtina ar madinga.

Vis dėlto Edvardui buvo neramu dėl pakrantės šauksmo, ir jeigu jis būtų žinojęs, kaip pasiūlyti ar paaiškinti, galbūt būtų iškėlęs mintį tenai nueiti. Buvo garsiai perskaitęs Floransai iš kelionių vadovo apie tai, kad tūkstančius metų trankančios audros atsijojo ir surūšiavo akmenukus palei aštuoniolikos mylių nerijos ruožą, su didesniaisiais rytiniame gale. Pasak legendos, vietos žvejai naktį išsilaipindami į krantą pagal gargždo stambumą tiksliai orientuodavosi, kur esą. Floransa tada užsiminė, kad juodu galėtų patys įsitikinti, palygindami rieškučias gargždo, surinkto mylią skyrium. Klumpinti pakrante būtų buvę geriau, negu sėdėti čia. Lubos, jau ir šiaip žemos, jam atrodė dar arčiau galvos ir vis labiau slegiančios. Nuo jo lėkštės kilo maišydamasis su jūros brizu lipnus kvapas, panašus į dvoką šeimos šuniui iš nasrų. Rasi jis nebuvo visai toks laimingas, kaip nuolat sau kartojo. Jautė baisią įtampą, ribojančią mintis ir trukdančią kalbėti, taip pat labai varžė fizinis nepatogumas — jo kelnės ar apatinukės tartum susitraukė.

Taigi, jeigu prie jų stalo būtų atsiradęs koks džinas ir pažadėjęs išpildyti būtiniausią reikalavimą, Edvardas tikrai nebūtų paprašęs nė jokios pakrantės. Jis vien troško, apie nieką daugiau negalvojo, kaip tik jam ir Floransai gulėti nuogiems ant lovos ar lovoje, gretimame kambaryje, pagaliau pasitinkant tą bauginamą patirtį, kuri atrodė tokia tolima nuo kasdienio gyvenimo kaip religinės ekstazės vizija ar net pati mirtis. Ši perspektyva — ar iš tikrųjų tai atsitiks? Jam? — darsyk šaltais pirštais gniaužė papilvę, ir jis susizgribo mirksnį bemaž alpstąs, bet paslėpė tą silpnumą laimingu atodūsiu.

Kaip daugelis savo laiko, — ar bet kurio laiko jaunų vyrų, nesugebančių elgtis laisvai ar neturinčių kaip išreikšti savo seksualumo, — jis nuolatos atsiduodavo tam, ką vienas apsišvietęs autoritetas dabar vadino „savęs pamaloninimu".

Edvardui patiko atrasti šį terminą. Šimtmetyje buvo gimęs per vėlai, 1940-aisiais, kad manytų piktnaudžiaująs savo kūnu, nuo to pablogėsiant regą ar Dievą su nuostaba griežtai stebint, kaip kasdien jis palinksta prie šio darbo. Arba netgi visus apie tai atspėjant iš jo blyškios veido spalvos ir į save susitelkusio žvilgsnio. Vis tiek ties jo pastangomis kybojo tam tikra sunkiai apibūdinama gėda, neišsipildymo ir bergždumo jausmas ir, žinoma, vienišumas. O malonumas iš tikrųjų teikė tik šalutinę naudą. Tikslas buvo išsikrauti — nuo primygtinio, mąstymą ribojančio geismo — to, ko negalėjai tuojau pat turėti. Kaip keista, kad šaukštas savo paties sukelto triškalo, išsiveržiančio iš jo kūno, bematant atpalaiduodavo protą, kad šis vėl galėtų imtis Nelsono ryžto Abu Kyro įlankoje*.

Vienintelis, svarbiausias, Edvardo įnašas į vestuvių ruošą buvo tas, kad daugiau kaip savaitę jis ištvėrė susilaikydamas. Nuo pat dvylikos metų dar niekada nebuvo toks visiškai skaistus savo atžvilgiu. Mat troško dėl savo nuotakos būti kuo geriausios formos. Tai buvo nelengva, ypač naktimis lovoje arba rytais atsibudus, arba ilgomis popietėmis, arba valandas prieš priešpiečius, arba po vakarienės, valandas prieš gulantis miego. Dabar juodu pagaliau susituokę ir vienu du. Kodėl jis neatsistojo nuo savojo rostbifo, neapibėrė jos bučiniais ir ne-nusivedė prie lovos su baldakimu gretimame kambaryje? Ne viskas taip parasta. Jam gana ilgai teko kovoti su Floransos

---

* 1798 m. rugpjūčio 1-2 d. Abu Kyro įlankos (prie Nilo žiočių) jūrų mūšyje admirolas Nelsonas panaudojo nelinijinio puolimo taktiką ir sutriuškino 11 prancūzų laivų, neprarasdamas nė vieno savo.

drovumu. Galiausiai pradėjo šį gerbti, net garbinti, klaidingai palaikydamas nelyginant kokiu koketiškumu, tradicine itin seksualios prigimties priedanga. Apskritai — sudėtingos jos asmenybės gelmių dalimi ir kokybės įrodymu. Tikino save, kad labiau pageidauja jos kaip tik tokios. To aiškiai sau neišsakė, bet jos santūrumas tiko jo paties neišmanymui ir pasitikėjimo savimi stokai; gašlesnė ir reiklesnė moteris, *padūkusi* moteris, galbūt įvarytų jam baimę.

Jųdviejų tarpusavio santykiai priminė pavanos šokį — iškilmingai rutuliodamiesi, varžomi etiketo taisyklių, niekada nesutartų ar neišsakytų garsiai, bet apskritai prisilaikomų. Niekas nebuvo aptarinėjama — nei abu jautė, kad stokotų intymaus pokalbio. Tie dalykai buvo nenusakomi žodžiais, neapibūdinami. Psichoterapijos kalba ir praktika nuolat stropiai dalytis savo jausmais dar nebuvo visuotinai priimta. Nors ir galėjai girdėti labiau pasiturinčius žmones įsitraukiant į psichoanalizę, kasdieniame gyvenime dar nebuvo įprasta žvelgti į save kaip į mįslę, kaip į pasakojamosios istorijos pratybas ar kaip į sprendimo laukiančią problemą.

Tarp Edvardo ir Floransos nieko nevyko greitai. Svarbūs žingsniai į priekį, be žodžių suteikiami leidimai praplėsti tai, kas jam leistina pamatyti ar paglamonėti, buvo pasiekiami iš lėto. Vieną spalio dieną jis pirmą kartą gavo pamatyti nuogas jos krūtis — dar ilgai iki tos dienos, gruodžio 19-os, kai jam buvo leista jas paliesti. Pabučiavo jas vasarį, nors ne pačius spenelius, kuriuos jis vos perbraukė lūpomis sykį — gegužę. O ji leido sau stumtis į priekį jo paties kūnu net dar atsargiau. Staigūs jo judesiai ar radikalūs pasiūlymai galėjo paversti perniek mėnesius gerų pastangų. Tą vakarą kine, kai buvo demonstruojamas *Medaus skonis**, jam paėmus jos ranką ir uždėjus sau tarp kojų, pažanga buvo sugrąžinta savaites atgalios. Ji tapo ne ledinė ar net ne šalta, — tai visai jai nebuvo būdinga, — bet vos vos atoki, galbūt nusivylusi ar net šiek tiek išduota. Kažkaip atsitraukė nuo jo, anaiptol neleisdama abejoti jos meile. O paskui juodu vėl sugrįžo į trasą: vieną šeštadienio popietę baigiantis kovui, lauke už netvarkingos svetainės mažučio Edvardo gimdytojų namo Čilterno kalvose langų pliaupiant lietui, ji leido savo rankai trumpam apsistoti ant ar, tiksliau, arti jo penio. Ne ilgiau kaip penkiolika sekundžių su kylančia viltimi ir ekstaze per du medžiagos sluoksnius jis juto ją. Kai tik ji patraukė ranką, jis suprato daugiau to nebeištversiąs. Paprašė ją tekėti už jo.

Jis tada negalėjo žinoti, kiek jai kainavo uždėti ranką — išvirkščią plaštaką — ant tokios vietos. Ji mylėjo jį, troško jam įtikti, bet turėjo įveikti nemažą pasidygėjimą. Nuoširdžiai stengėsi — galbūt Floransa ir buvo gudri, bet tikrai be klastos. Ji laikė savo ranką toje vietoje tiek, kiek galėjo, kol po pilka jo kelnių medžiaga pajuto kažką krustelint ir sukietėjant. Susidūrė su gyvu padaru, visiškai atskiru nuo josios Edvardo — ir ji iškart atitraukė ranką. Tada jis paskubom, užsikirsdamas pasipiršo, ir per jausmų antplūdį, džiaugsmą, linksmumą ir

---

* *A Taste of Honey* — 1961 m. režisieriaus Tonio Ričardsono (*Tony Richardson*) pastatytas filmas apie paprastą septyniolikmetę merginą, kuri pastoja nuo juodaodžio jūreivio, susidraugauja su homoseksualu ir galiausiai subręsta į moterį.

palengvėjimą, staiga abiem apsikabinus, ji laikinai pamiršo patirtąjį mažutį sukrėtimą. O jį patį taip nustebino savo paties ryžtas, be to, jautėsi toks psichiškai suvaržytas neišsipildžiusio geismo, kad nebūtų pajėgęs bent kiek numanyti apie prieštarą, su kuria nuo tos dienos pradėjo ji gyventi: su kažkuo slapta tarp pasidygėjimo ir džiaugsmo.

TAIGI JUODU BUVO VIENI IR TEORIŠKAI LAISVI DARYTI KĄ NO-rėjo, bet toliau valgė vakarienę, kuriai neturėjo jokio apetito. Floransa padėjo peilį, siekė Edvardo rankos ir ją spustelėjo. Iš apačios jie girdėjo radiją, Didžiojo Beno kurantus, mušančius prieš dešimtos valandos žinias. Šiame kranto ruože televizijos laidos buvo priimamos prastai dėl kalvų čia pat pajūryje. Senesnio amžiaus svečiai tikriausiai ten apačioje, svetainėje, vertina pasaulį su taurelėmis rankoje prieš miegą, — viešbutis turėjo gerą pasirinkimą gryno salyklinio viskio, — ir kai kurie vyrai paskutinį kartą tą dieną prisikimš pypkes. Susirinkti apie radiją išklausyti pagrindinės žinių suvestinės — nuo karo laikų likęs įprotis, kurio jie niekada nesulaužys. Edvardas ir Floransa girdėjo prislopintas pranešimų antraštes ir pagavo ministro pirmininko pavardę, o paskui, po minutės ar dviejų, pažįstamas jo balsas kalbant sustiprėjo. Haroldas Makmilanas konferencijoje Vašingtone kreipėsi dėl ginklavimosi lenktynių ir būtinybės uždrausti bandymus sutarties. Kas galėtų nesutikti, kad beprotybė toliau bandyti vandenilines bombas atmosferoje ir švitinti visą planetą? Bet nė vienas jaunesnis nei trisdešimties — ir tikrai ne Edvardas su Floransa — netikėjo, kad britų premjeras turėtų daug įtakos globaliems reikalams. Kasmet Imperija traukėsi, kai dar kelios šalys pasiimdavo teisėtą nepriklausomybę. Dabar beveik nieko nebelikę, ir pasaulis priklausė amerikiečiams ir rusams. Britanija, Anglija — antraeilė galybė, ir to sakymas teikė tam tikro šventvagiško pasitenkinimo. Žinoma, ten apačioje anie manė kitaip. Kiekvienas per keturiasdešimtį tikriausiai buvo kovojęs ar kentėjęs kare ir pažinojo mirtį nepaprastu mastu, tad nebūtų galėjęs patikėti, kad slinktis nereikšmingumo link — tai atlygis už visą pasiaukojimą.

Edvardas ir Floransa turėjo pirmą kartą balsuoti per visuotinius rinkimus ir labai troško, kad leiboristai taip pat triuškinamai pralaimėtų, kaip pasiekė įstabią pergalę 1945-aisiais. Po metų ar dvejų vyresnioji karta, tebesvajojanti apie Imperiją, tikrai privalės užleisti kelią tokiems politikams kaip Geitskelas, Vilsonas, Kroslandas — naujiems žmonėms, turintiems viziją modernios šalies, kurioje egzistuos lygiateisiškumas ir darbai išties bus atliekami. Jeigu Amerika galėjo turėti energingą ir gražų prezidentą Kenedį, tai ir Britanija galėtų turėti ką nors panašaus — bent dvasia, nes leiboristų partijoje nebuvo nė vieno tokio pat žavingo. Blimpų*, vis tebekovojančių praėjusį karą, vis tebejaučiančių nostalgiją šio

---

* Šitaip vadinti pompastiški, reakcingų, ultranacionalistinių pažiūrų žmonės — pagal politinių karikatūrų personažą pulkininką Blimpą, sukurtą Deivido Lou (*David Low, 1891–1963*).

disciplinuotumui ir nepritekliams, laikas baigėsi. Ir Edvardas, ir Floransa jautė, kad jau kada nors greitai šalis pasikeis į gera, kad jaunatviška energija stengiasi prasiveržti it suslėgtas garas, ir tai jungėsi su jauduliu dėl savo pačių nuotykio drauge. Septintas dešimtmetis buvo pirmasis abiejų kaip suaugusiųjų gyvenime ir tikrai priklausė jiems. Apačioje pypkių rūkoriai su savaisiais sidabrinių sagų bleizeriais, su dvigubomis „Caol Ila" viskio porcijomis ir prisiminimais apie kampanijas Šiaurės Afrikoje ir Normandijoje, su tebeišsaugotais kariško žargono likučiais niekaip negalėjo pretenduoti į ateitį. Metas, džentelmenai, prašom trauktis!

Kylant rūkui, vis labiau ryškėjo medžiai netoliese, plikos žalios uolos už lagūnos ir tarpais sidabraspalvė jūra, švelnus vakaro oras smelkėsi aplinkui stalą, ir juodu tebeapsimetė valgantys, įstrigę kiekvienas savo nerimasčių akimirkoje. Maistą Floransa po savo lėkštę tik stumdė. Edvardas valgė vien simbolinius bulvių kąsnelius, atsignybdamas šakutės krašteliu. Bejėgiškai abu klausėsi antro žinių pranešimo, suvokdami, kaip nyku sieti savo dėmesį su svečių apačioje. Jųdviejų vestuvių naktis, o neturį ką vienas kitam pasakyti. Jiems iš po kojų kilo neaiškūs žodžiai, bet abu išskyrė „Berlynas" ir iškart suprato, kad pasakojama apie tai, kas pastaruoju metu labai domino visus. Kalbėta apie pabėgimą iš komunistinių miesto rytų į vakarus, užgrobus garlaivį Vanzės ežere ir pabėgėliams slepiantis nuo Rytų Vokietijos sargybinių kulkų už vairinės. Juodu išklausė to, o dabar, sunkiai ištverdami, ir trečio pranešimo — apie baigiamąją islamo konferencijos sesiją Bagdade.

Pririšti prie pasaulio įvykių savo pačių kvailumo! Taip toliau negali tęstis. Metas veikti. Edvardas pasilaisvino kaklaraištį ir ryžtingai padėjo ant lėkštės pagret savo peilį ir šakutę.

— Galėtume nulipti apačion ir deramai pasiklausyti.

Jis tikėjosi nuskambėsiąs humoristiškai, nukreipdamas savo sarkazmą prieš juos abu, bet žodžiai išsiveržė netikėtai aršiai, ir Floransa paraudo. Mat palaikė tai priekaištu, kad daugiau skirianti dėmesio radijui nei savo vyrui, ir dar nespėjus jam sušvelninti ar nugludinti savosios pastabos skubiai atsakė:

— Arba galėtume eiti ir atsigulti į lovą. — Ir nervingai nusibraukė nuo kaktos nematomą plaukų sruogą. Norėdama parodyti, kaip Edvardas klysta, pasiūlė tai, ko, žinojo, labiausiai jis trokšta, o ji — baiminasi. Iš tikrųjų būtų laimingesnė arba ne tokia nelaiminga nusileisti į barą apačioje ir prastumti laiką ramiai šnekučiuojantis su matronomis ant gėlėto rašto sofų, kol šių vyrai rimtai linko į žinias, į istorijos audras. Veikti bet ką, tik ne tai.

Jos vyras šypsodamasis stojosi ir ceremoningai tiesė ranką per stalą. Iš veido buvo irgi šiek tiek raustelėjęs. Jo servetėlė mirksnį laikėsi prikibusi prie juosmens, absurdiškai kybodama it strėnjuostė, o paskui lėtai nusklendė ant grindų. Nieko kita Floransa negalėjo daryti, nebent nualpti, o vaidybos srityje ji buvo beviltiška. Tad atsistojo ir paėmė jo ranką, visiškai tikra, kad atsakomoji jos šypsena sukaustyta ir neįtikinama. Nebūtų padėję, jeigu ir žinotų, kad Edvardas, jausdamasis tartum sapne, dar niekada nebuvo regėjęs jos patraukliau atrodančios. Kažkas tokio jos rankose, vėliau prisiminė jis mąstęs, — laibose ir pažeidžiamose, netrukus dievinamai apsivysiančiose jam apie kaklą. Ir gražiose rusvose akyse, neabejotinai spindinčiose aistra, ir nežymiai drebančioje apatinėje lūpoje, kurią netgi dabar ji vilgė liežuviu.

Laisvąja ranka jis pamėgino pasičiupti butelį ir puspilnes taures, bet tai buvo pernelyg sunku ir blaškė dėmesį — išsipūtusiais šonais taurės rėmėsi viena į kitą, dėl to persikryžiavo jų kojelės ir vynas išsiliejo. Tad jis tik sugriebė už kaklelio butelį. Net tokios pakilios ir nervingos būsenos jis tarėsi suprantąs jos įprastą santūrumą. Taigi juolab yra ko džiaugtis, kad jiedviem drauge prieš akis tas reikšmingas įvykis, ta skiriamoji patirties riba. Ir labiausiai vis dėlto jaudino tai, kad būtent Floransa pasiūlė sugulti į lovą. Pasikeitusi visuomeninė padėtis padėjo jai išsilaisvinti. Tebelaikydamas ją už rankos, jis apėjo stalą ir prisiartino pabučiuoti. Sumojęs, kad vulgaru tą daryti tebegniaužiant delne vyno butelį, jis vėl pastatė šį ant stalo.

— Tu labai graži, — sukuždėjo.

Ji prisivertė prisiminti, kaip labai myli šį žmogų. Jis geras, jautrus, myli ją ir tikrai negali padaryti jai nieko bloga. Ji įsimuistė giliau į jo glėbį, prie pat krūtinės, ir įkvėpė pažįstamą kvapą — medį primenantį ir veikiantį raminamai.

— Aš toks laimingas čia su tavimi.

— Aš irgi labai laiminga, — tyliai atsakė ji.

Juodu pasibučiavo, ir ji tučtuojau pajuto jo liežuvį, įtemptą ir tvirtą, besistumiantį jai pro dantis kaip koks chuliganas, pečiais besistengiantį įsiveržti pro duris į kambarį. Įeiti į ją. Iš nesąmoningo pasidygėjimo jos pačios liežuvis susilenkė ir atsitraukė, palaisvindamas Edvardui dar daugiau vietos. Jis gana gerai žinojo ją nemėgstant šitaip bučiuotis ir anksčiau niekada nebūdavo toks atkaklus. Tvirtai prispaudęs lūpas prie josios, ištyrinėjo minkštą jos burnos dugną, paskui nustūmė liežuvį palei apatinio žandikaulio dantų vidinę pusę į tuštumą, kur prieš trejus metus buvo išaugęs proto dantis ir paskui ištrauktas, panaudojus bendrąją nejautrą. Kaip tik į šią įdubėlę paprastai nuklysdavo Floransos liežuvis, kai ji būdavo paskendusi mintyse. Pagal minčių asociaciją tai buvo veikiau sąvoka nei konkreti vieta — slapta, įsivaizduojama kertelė, o ne tik paprasta tuštuma dantenose, ir jai atrodė keista, kad kitas liežuvis gebėtų ten irgi patekti. Būtent to svetimo raumens kietas kūgiškas galas, virpančiai gyvas, kėlė jai pasibjaurėjimą. Kairė Edvardo plaštaka plokščia spaudėsi jai virš menčių, tuoj po sprandu, lenkdama jos galvą prie jojo. Klaustrofobija ir kvapo stygius jai dar labiau sustiprėjo, kai pasiryžo žūtbūt neužgauti jo jausmų. Dabar jis buvo po jos liežuviu, stumdamas šį aukštyn prie burnos skliauto, paskui — ant viršaus, spausdamas žemyn, paskui glotniai slysdamas šonais ir aplinkui, tartum manytų galįs surišti paprastą mazgą. Jis siekė paskatinti ir josios liežuvį kokiai nors veiklai, įtraukti į šlykštų nebylų duetą, bet ji tejstengė gūžtis ir kauptis, kad nesipriešintų, nežiaukčiotų, nepanikuotų. Jeigu susivemtų jam į burną, šmėstelėjo paklaikusi mintis, jųdviejų santuoka iškart baigtųsi, jai tektų keliauti namo ir pasiaiškinti tėvams. Ji puikiai suvokė, kad šis reikalas su liežuviais, šis įsiskverbimas — tik mažo masto inscenizacija, ritualinis *tableau vivant* to, kas dar toliau seks, nelyginant seno spektaklio prologas, pasakantis tau viską, kas turės atsitikti.

Šitaip stovėdama ir laukdama, kol praeis šis konkretus momentas, dėl formos uždėjusi rankas Edvardui ant klubų, Floransa sumojo bergždžią tiesą, žvelgiant atgal ganėtinai savaime aiškią, tokią pat pirmykštę ir senovinę kaip *danegeld** arba *droit du seigneur*** ir kone pernelyg fundamentalią, kad būtų galima apibrėžti: nuspręsdama tekėti ji kaip tik su tuo ir sutiko. Sutiko, kad teisinga taip daryti ir kad jai taip būtų daroma. Kai ji su Edvardu ir abiejų tėvais po apeigų vorele patraukė į niūrią zakristiją pasirašyti registre, jie padėjo savo parašus kaip tik dėl to, o visa kita — tariama branda, konfeti ir tortas — tebuvo vien mandagiai dėmesiui nukreipti. Ir jeigu jai tas nepatinka, pati viena yra už tai atsakinga, nes visi jos pasirinkimai per pastaruosius metus visada susiėjo į tai, ir dėl visko kalta ji, o dabar Floransa iš tikrųjų jautė, kad tuoj susivems.

Išgirdęs jos aimaną, Edvardas suprato, kad jo laimė bemaž pilnutinė. Įspūdis buvo toks, lyg būtų tapęs nuostabiai besvoriu, lyg stovėtų kelis colius aukščiau nuo žemės, patenkintai iškilęs ties žmona. Tame, kaip jo širdis tartum pašoko ir daužėsi gerklės apačioje, buvo ir skausmo, ir malonumo. Buvo sužavėtas lengvai lytimas jos rankų, ne per toliausiai nuo slėpsnų, ir jo rankų glėbiamo mielo jos kūno klusnumo,

---

* Pažodžiui — danų mokestis (iš senovinės anglų kalbos): X-XII a. amžiais Anglijoje rinktas mokestis finansuoti apsaugai nuo danų invazijos.
** Valdovo teisė (*pranc.*) — valdovo teisė į nuotakos pirmąją vestuvių naktį.

ir aistringai skambančio tankaus jos alsavimo pro šnerves. Tai, kaip jos liežuvis švelniai apgaubė jojo, kai stūmėsi gilyn, privedė jį iki lig šiol dar nepažinotos ekstazės. Rasi pavyktų kurią nors dieną netrukus — galbūt netgi šį vakarą — ją įtikinti, o gal nė nereikėtų ir įtikinėti, kad priimtų jo gaidį į savo švelnią ir gražią burną. Bet šią mintį reikėjo kuo skubiausiai nuvyti į šalį, nes tikrai grėsė pavojus, kad jis per greitai užbaigs. Jau juto tai prasidedant, stumiant jį į gėdą. Kaip tik pačiu laiku suspėjo prisiminti žinias, ministrą pirmininką Haroldą Makmilaną, aukštą, pakumpusį, iš veido primenantį jūrų vėplį, karo didvyrį, seną dėdulį — jis reiškė viską, tik ne seksą, ir idealiai tiko šiam tikslui. Prekybos balanso deficitas, atsiskaitymų pristabdymas, perpardavimo kainų palaikymas. Kai kas jį keikė, kad išdalija Imperiją, bet kito pasirinkimo iš tikrųjų ir nebuvo, kai per Afriką papūtė tie permainų vėjai. Niekas nebūtų priėmęs tokios pačios žinios iš leiboristo. Ir jis ką tik išvijo trečdalį savo kabineto per „ilgųjų peilių naktį"*. Tam reikėjo šiokio tokio ryžto. „Makas Peilis" — skelbė viena antraštė, „Makbetas" — rėžė kita. Rimtai mąstantys žmonės skundėsi, kad jis laidoja naciją televizijos, automobilių, didžiulių prekybos centrų ir kitokio šlamšto lavinoje. Jis leido turėti žmonėms, ko jie nori. Duonos ir žaidimų. Nauja nacija. O dabar jis nori, kad mes prisijungtume prie Europos, ir kas galėtų tvirtai pasakyti, kad jis klysta?

---

* Šitaip vadinamas netikėtas susidorojimas su politiniais priešininkais (kaip 1934 m. Hitleris Vokietijoje). Terminas kildinamas nuo žudynių karaliaus Arturo legendoje, per kurias germanai — anglų, jutų ir saksų genčių — samdiniai nugalabijo Vortigerno (britų karo vado) vyrus.

Pagaliau nusiramino. Mintys Edvardui išskydo, ir jis vėl tapo labiau savo liežuviu, pačiu šio galiuku kaip tik tą akimirką, kai Floransa nusprendė, kad daugiau nebepajėgs ištverti. Jautėsi prispausta ir sugniuždyta, dūstanti, ją pykino. Ir ji girdėjo kažkokį garsą, tolydžio kylantį, ne atskirais tonais kaip gamoje, bet lėtu *glissando*, ir ne visai smuiko ar balso, bet kažkur tarp jų, kylantį ir kylantį nepakenčiamai, vis neišeinantį iš girdimumo diapazono, smuiką-balsą, kuris buvo bemaž prie beprasmybės ribos, sakantis jai kažką svarbaus sibiliantais ir balsiais, primityvesniais nei žodžiai. Skambėjo tai galbūt kambaryje, o gal už durų koridoriuje ar tik jai ausyse — kaip spengimas. Galimas daiktas, pati kėlė tą garsą. Nesvarbu — jai rūpėjo išsivaduoti.

Staigiai trūktelėjo galvą atgal ir atsistūmė iš jo glėbio. Edvardui dar nustebusiam, pražiota burna, su bepradedančiu formuotis veide klausimu tebespoksant į ją, sugriebė jį už rankos ir nusivedė prie lovos. Jos atžvilgiu tai buvo iškreipta, netgi nenormalu — kai norėjo pabėgti iš kambario, pasileisti per sodą ir žemyn takučiu į pakrantę, pasėdėti viena. Tik minutės pabūti vienai būtų užtekę. Bet pareigos jausmas buvo kankinamai stiprus, ir ji nepajėgė šiam pasipriešinti. Negalėjo nuvilti Edvardo. Ir buvo įsitikinusi esanti visiškai neteisi. Jeigu visi vestuvių svečiai ir artimieji šeimos nariai būtų kažkokiu būdu susigrūdę į kambarį stebėti, tos visos šmėklos palaikytų Edvardą ir jo būtinus, suprantamus geismus. Manytų, kad kažkas negerai jai, ir būtų teisios.

Be to, ji suvokė, kad elgiasi pasigailėtinai. Kad galėtų išsisukti, pabėgti nuo vienos bjaurios akimirkos, jai tektų tik padidinti lošimo kainą ir atsiduoti kitą kartą, ir šitaip sudaryti niekuo negelbstintį įspūdį, kad pati to trokšta. Baigiamojo akto nebuvo galima atidėlioti iki begalybės. Ta akimirka kilo pasitikti ją — visai taip pat, kaip ji kvailai judėjo šios link. Buvo įstrigusi žaidime, kurio taisyklių negalėjo užginčyti. Negalėjo pabėgti nuo logikos, kuri pastūmėjo ją vestis — ar temptis — Edvardą per kambarį atdarų miegamojo durų ir siauros lovos su lygiu baltu užtiesalu po baldakimu ant keturių stulpelių link. Nenutuokė, ką darysianti, kai juodu atsidursią ten, bet nors tas siaubingas garsas liovėsi, ir per kelias sekundes, kurių prireikė nueiti, jos burna ir liežuvis vėl tapo nuosavi, ji galėjo kvėpuoti ir suimti save į rankas.

ANTRAS

Kaip juodu susipažino ir kodėl tie naujųjų laikų įsimylėjėliai buvo tokie drovūs ir nekalti? Abu laikė save pernelyg išprususiais, kad tikėtų lemtimi, bet vis tiek jiems liko paradoksalu, jog toks reikšmingas susitikimas turėjo būti atsitiktinis, šiaip priklausomas nuo šimto mažučių įvykių ir pasirinkimų. Kokia pasibaisėtina tikimybė, kad išvis galėjo to neatsitikti. Ir per pirmą meilės antplūdį juodu dažnai stebėdavosi, kaip nedaug tereikėjo, kad abiejų keliai būtų persikirtę ankstyvoje paauglystėje, kai Edvardas kartkartėmis iš savo skurdžių namų Čilterno kalvų atokybėje išsirengdavo aplankyti Oksfordo. Kėlė virpulį pagalvojus, kad juodu tikriausiai būtų galėję prasilenkti vienas su kitu per kurį nors iš tų pagarsėjusių jaunatviškų miesto renginių, Šv. Džailzo mugėje* pirmą rugsėjo savaitę ar Gegužės Rytmetyje** auštant to mėnesio pirmąją, — pastarasis ritualas juokingas ir pervertinamas, abu sutiko, — ar išsinuomojant plokščiadugnę valtį Červelo elinge, nors Edvardas išvis tai darė tik sykį; arba, vėlesnėje paauglystė-

* Kasmet Oksforde rengiama Šv. Džailzo gatvėje (*St. Giles* — angliška Egidijaus vardo forma) mugė su liaudies eitynėmis, atrakcionais ir pan.
** Penkis šimtus metų gyvuojanti tradicija — kasmetė Oksfordo šventė kiekvieną gegužės pirmąją, prasidedanti šeštą valandą ryto Magdalenos koledžo chorui giedant bažnytinį himną iš šios mokyklos bokšto viršūnės. Po to seka įvairios linksmybės, eitynės, šokiai ir t. t.

je, per draudžiamas išgertuves Terlyje*. Jam net lyg dingojosi, jog su kitais trylikamečiais berniokais buvo autobusu nuvežtas į Oksfordo vidurinįąją, kad ten per bendrųjų žinių viktoriną būtų supliekti mergaičių, kurios buvo tokios nesuvokiamai išmanančios ir šaltakraujiškos kaip suaugusios. O gal tai buvo kita mokykla. Floransa neprisiminė buvusi komandoje, bet prisipažino, kad tokie dalykai jai patikdavę. Palyginę savuosius, turimus mintyse, ir geografinius Oksfordo žemėlapius, juodu išsiaiškino nedaug trūkus, kad būtų susitikę.

Paskui vaikystė ir mokyklos metai baigėsi, ir 1958-aisiais abu pasirinko Londoną: jis — Universiteto koledžą, ji — Karališkąjį muzikos koledžą, ir, savaime suprantama, jiems nepavyko susitikti. Edvardas apsigyveno pas našlaujančią tetą Kamdentaune ir kasryt mindavo dviračiu į Blumsberį. Visą dieną dirbdavo, savaitgaliais žaisdavo futbolą ir gerdavo alų su draugais. Iki jam pasidarė nebepatogu, mėgo atsitiktines peštynes išėjus iš aludės. Viena rimta nefizinė jo laisvalaikio pramoga buvo muzika, kažkas panašaus į trankų elektrinį bliuzą, kuris, kaip vėliau pasirodė, tapo tikruoju angliškojo rokenrolo pirmtaku ir svarbiausia varomąja jėga — ši muzika, jo viso gyvenimo nuomone, buvo gerokai pranašesnė už patrakusias trijų minučių miuzikholo dainuškas iš Liverpulio, kurios per kelerius metus turėjo pavergti pasaulį. Vakarais jis dažnai palikdavo biblioteką ir nueidavo Oksfordo gatve į „Šimto

* Siaura Oksfordo gatvelė (pilnas angl. pavadinimas — *Turl Street*), prie kurios išsidėstę trys koledžai: Ekseterio, Jėzaus ir Linkolno.

klubą"* pasiklausyti Džono Mejalo** „Jėgainės-4", Aleksio Kornerio*** ar Brajano Naito****. Per trejus studentystės metus vakarai klube buvo kultūrinės patirties viršūnė, ir vėlesniais metais Edvardas manys, kad tai buvo muzika, kuri suformavo jo skonius ir net nulėmė gyvenimą.

Kelios merginos, kurias jis pažinojo, — tais laikais universitete jų nebuvo tiek daug, — keliaudavo į paskaitas iš atokesnių priemiesčių ir išvykdavo vėlyvą popietę, matyt, griežtai gimdytojų prisakytos parsirasti namo iki šešių. Nors šitaip ir nesakė, tos merginos leisdavo aiškiai suprasti, kad „saugo save" būsimam vyrui. Kitko nė negalėjai tikėtis — jei užsiimsi su kuria nors iš tų merginų seksu, privalėsi ją vesti. Pora draugų, abu padorūs futbolininkai, nuėjo šiuo keliu, vedė antrame kurse ir dingo iš akiračio. Vienas iš tų nelaimingųjų ypač paveikė kaip perspėjamas pavyzdys. Užtaisė merginą iš universiteto administracijos ir buvo, jo draugų akimis, „nutemptas prie altoriaus", o paskui niekas jo nematė metus, kol buvo pastebėtas Putni Hai gatve stumiantis vaiko vežimėlį — tuomet dar toks elgesys vyrą labai menkino.

Per laikraščius ėjo gandas apie „Tabletę" — juokingas pažadas, dar viena iš tų nebūtų pasakų apie Ameriką. Bliuzai,

---

* Seniausia gyvosios muzikos vieta Londone, viena žinomiausių Europoje ir pasaulyje, kur vyksta daugybė populiarios ir rimtos muzikos koncertų, veikia barai ir užkandinės.

** *John Mayall (g. 1933)* — anglų bliuzo dainininkas, dainų kūrėjas, grojantis įvairiais instrumentais.

*** *Alexis Korner (1928-1984)* — novatoriškas bliuzo muzikantas, vadintas „britų bliuzo tėvu kūrėju".

**** *Brian Knight (1939-2001)* — įtakingas vokalistas, gitaristas ir grupės „The Rolling Stones" narys bei įsteigėjas.

kurių Edvardas klausėsi „Šimto klube", kėlė jam mintis, kad visur aplinkui, vos tik matomi, jo amžiaus vyrai gyvena audringus, nenuilstamus lytinius gyvenimus, gausius visokios rūšies atpildų. Pop muzika buvo prėska, vis dar kukli šiuo klausimu, filmai — ne ką daugiau atviri, bet Edvardo rato vyrai turėjo tenkintis nešvankiais anekdotais, neramiomis seksualinėmis pagyromis ir triukšmingomis bičiulystėmis, palaikomomis pašėlusių išgertuvių, kurios dar labiau menkino jų šansus susipažinti su mergina. Socialinės permainos niekada nežengia į priekį vienodu tempu. Sklandė paskalos, kad Anglų kalbos fakultete ir toliau palei tą pačią gatvę Orientalistikos ir Afrikos studijų fakultete, taip pat palei Kingsvėjų, Londono ekonomikos ir politinių mokslų aukštojoje mokykloje, vyrai ir moterys aptemptais juodais džinsais ir juodais golfo megztiniais nuolat mėgaujasi seksu, neprivalėdami susipažinti su vienas kito tėvais. Kalbėta net apie rūkomą hašišą. Edvardas kartais eksperimentuodamas pasivaikštinėdavo nuo Istorijos iki Anglų kalbos fakulteto, vildamasis aptikti rojaus žemėje įrodymų, bet koridoriai, skelbimų lentos ir net moterys neatrodė kaip nors kitaip.

Floransa gyveno kitoje miesto pusėje, netoliese Albert Holo*, itin padoriame studenčių bendrabutyje, kur šviesos buvo gesinamos vienuoliktą, vyrams drausta lankytis bet kuriuo metu, o merginos nuolat užeidinėdavo viena pas kitą į kambarius. Floransa lavinosi groti po penkias valandas per

* Didelė, 8 000 vietų koncertų salė, pastatyta 1867-1871 metais ir pavadinta karalienės Viktorijos sutuoktinio princo Alberto garbei.

dieną ir vaikščiojo į koncertus su draugėmis. Užvis labiausiai ji mėgo kamerinius rečitalius Vigmor Hole*, ypač styginių kvartetus ir kartais apsilankydavo per savaitę net penkiuose, — tiek dieniniuose, tiek vakariniuose. Jai patiko paslaptinga šios vietos rimtis, išblukusios, besilaupančios sienos užkulisiuose, spindinti medienos apdaila ir tamsiai raudonas kilimas vestibiulyje, žiūrovų salė, primenanti paauksuotą tunelį, viršum scenos gerai žinomas kupolas, vaizduojantis, kaip jai papasakota, žmonijos alkį nuostabiai muzikos abstrakcijai, su Harmonijos dvasia, nutapyta kaip amžinos ugnies kamuolys. Ji gerbė senolius, prisireikiančius minučių, kol išsirioglindavo iš taksi, kuriais atvažiuodavo — paskutinius karalienės Viktorijos epochos palikuonius, pasiramstančius lazdomis, nuklibikščiuojančius į savo vietas klausytis budrioje kritiškoje tyloje, kartais ant kelių užsimetus atsineštus škotiškus pledus. Tos prieštvaninės senienos gumbuotomis susitraukusiomis makaulėmis, kukliai tipenančios scenos link, Floransai simbolizavo nugludintą patirtį ir išmintingą nuomonę arba muzikinį profesionalumą, kuriam artrito išklaipyti pirštai nebegalėjo būti naudingi. Ir paprasčiausiai ją apimdavo jaudulys žinant, kad čia yra groję tiek daug žymių pasaulio muzikantų ir kad būtent šioje scenoje yra prasidėjusios didžiosios jų karjeros. Kaip tik čia ji klausėsi šešiolikmetės violončelininkės Žaklinos diu Pre** debiutinio koncerto. Pačios Floransos muzikiniai

---

* Koncertų salė, kur daugiausia vyksta kamerinės muzikos koncertai.
** *Jacqueline Mary du Pré (1945-1987)* — anglų violončelininkė, pripažinta kaip viena puikiausių atlikėjų šiuo instrumentu.

skoniai nebuvo kokie nors neįprasti, tačiau rimti. Gana ilgai ją žavėjo Bethoveno „Opus 18", paskui — paskutinieji nuostabūs jo kvartetai. Taip pat Šumanas, Bramsas, o paskui, baigiamaisiais studijų metais — Frenkas Bridžas, Bartokas ir Britenas. Trejų metų laikotarpiu Vigmor Hole ji girdėjo visus tuos kompozitorius.

Mokantis antrame kurse jai suteiktas darbas ne visu etatu užkulisiuose: erdviame žaliame kambaryje užplikydavo atlikėjams arbatos ir prigludusi prie skylutės užuolaidoje stebėdavo, kad suspėtų atidaryti duris artistams, kai tie palikdavo sceną. Taip pat ji versdavo natų lapus pianistams kamerinėse pjesėse, o vieną vakarą netgi stovėjo šalia Bendžamino Briteno atliekamoje Haidno, Frenko Bridžo ir paties Briteno dainų programoje. Ten dainavo diskantu vienas berniukas, taip pat Piteris Persas*, kuris kartu su didžiuoju kompozitoriumi eidamas nuo scenos įbruko jai į delną dešimties šilingų banknotą. Šalimais, po demonstruojamų fortepijonų sale, ji surado repeticijų patalpas, kur visą rytą kaip kokie išprotėję pirmakursiai studentai aukštyn ir žemyn gamas ir *arpeggios* griaudėdavo legendiniai pianistai, tokie kaip Džonas Ogdonas** ir Čerkaskis***. Vigmor Holas Floransai tapo tartum antraisiais namais — lyg kiekvienas tamsesnis ir neišvaizdus kamputis, dargi šalti betoniniai laiptai, vedantys į tualetus, būtų jos nuosavybė.

* *Peter Pears (1910-1976)* — anglų tenoras, ilgus metus bendradarbiavęs su kompozitoriumi Britenu.
** *John Andrew Howard Ogdon (1937-1989)* — anglų pianistas ir kompozitorius.
*** *Shura (Alexander Isaakivich) Cherkassky (1909-1995)* — žymus rusų kilmės amerikiečių pianistas.

Vienas iš jai priskirtų darbų buvo tvarkyti žaliąjį kambarį, ir sykį popiet ji pamatė popiergalių šiukšliadėžėje kažkokias pieštuku pabraižytas koncertines natas, išmestas Amadėjaus kvarteto. Braižas buvo vingrus ir neryškus, vos įskaitomas ir buvo susijęs su įžangine Šuberto „Kvarteto nr. 15" dalimi. Ji džiugiai susijaudino, kai galiausiai pavyko iššifruoti žodžius: „Ties B* įnirtingai!" Floransai vis nėjo iš galvos mintis, kad ji gavo svarbią žinią ar lemtingą paskatą, tad dviem savaitėmis vėliau, netrukus prieš prasidedant baigiamiesiems jos studijų metams, pakvietė tris geriausius koledžo studentus prisidėti prie savo pačios organizuojamo kvarteto.

Tik violončelininkas buvo vyras, bet Čarlzas Rodvėjus nerodė jai kokio nors romantiško dėmesio. Koledžo vyrai, atsidavę muzikantai, pašėlusiai ambicingi, nematantys nieko, išskyrus savo pasirinktus instrumentus ir repertuarus, niekada jos labiau netraukė. Kai tik kuri nors mergina iš grupės pradėdavo pastoviai draugauti su kitu studentu, ši paprasčiausiai bendravimo atžvilgiu išnykdavo — visai kaip Edvardo draugai futbolininkai. Tartum jaunoji moteris būtų įstojusi į vienuolyną. Kadangi neatrodė įmanoma vaikščioti su vaikinu ir vis tiek likti su senomis draugėmis, Floransa verčiau linko palaikyti draugystę su savo bendrabučio grupe. Jai patiko jų geraširdiški juokeliai, artima bičiulystė, gerumas, tai, kaip merginos sureikšmindavo viena kitos gimtadienius ir švelniai bruzdėdavo aplinkui su virduliais, antklodėmis

---

* Pustoniu pažeminto muzikinio garso si raidinis pavadinimas.

vaisiais, jeigu tau pasitaikydavo susirgti gripu. Metai koledže jai atrodė kaip laisvė.

Edvardo ir Floransos maršrutai Londone bemaž nepersikirsdavo. Ji labai mažai ką žinojo apie Ficrovijos ir Soho rajonų aludes, ir nors visada ketindavo, niekada neapsilankė Britų muziejaus skaitykloje. O jis visiškai nieko nežinojo apie Vigmor Holą arba arbatos kambarius jos žinioje ir nėsyk neiškylavo Haid Parke, nei irstėsi po Serpantiną*. Jiedviem buvo įdomu išsiaiškinti, kad 1959-aisiais abu tuo pačiu metu stovėjo Trafalgaro aikštėje, kartu su dvidešimčia tūkstančių kitų, visų pasiryžusių siekti, kad būtų uždrausta atominė bomba.

JUODU SUSIPAŽINO TIK PASIBAIGUS ABIEJŲ STUDIJOMS LONdone, kai kiekvienas sugrįžo į šeimos namus ir savo vaikystės tykumą — nuobodžią savaitę ar dvi sėdėti karštyje ir laukti egzaminų rezultatų. Vėliau labiausiai juos suintrigavo tai, kaip lengvai būtų galėję išvis nesusitikti. Edvardui ši konkreti diena būtų galėjusi praeiti kaip daugelis kitų — pasitraukus į nedidelio sodo galą, sėdint ant apsamanojusio suolelio didžiulės guobos paunksnėje, skaitant knygą ir liekant nepasiekiamu motinai. Už penkiasdešimties jardų šios veidas, blyškus ir neryškus kaip viena iš pačios tapytų akvarelių, po dvidešimt

* Angl. *Serpentine* — siauras ilgas dirbtinis ežeras Haid Parke su valčių nuomos stotimi
u.

minučių boluodavo prie virtuvės ar svetainės lango, nuolatos
jį stebėdavo. Jis mėgino nekreipti dėmesio, bet įremtas jos
žvilgsnis buvo lyg rankos prisilytėjimas prie nugaros ar peties.
Paskui girdėdavo ją prie pianino antrame aukšte, klupinėjant
per vieną savųjų pjesių iš „Anos Magdalenos sąsiuvinio"* —
vienintelį jo tuo metu žinotą klasikinės muzikos dalyką. Po
pusvalandžio ji galėdavo būti sugrįžusi prie lango, vėl spoksan-
ti į jį. Niekada neišeidavo su juo pasikalbėti, jeigu matydavo su
knyga. Prieš kažkiek metų, kai Edvardas dar buvo mokinukas,
jo tėvas kantriai nurodė jai nepertraukinėti sūnaus mokslų.

Tą vasarą po baigiamųjų egzaminų jis domėjosi fanatiš-
kais viduramžių kultais ir šių siautulingais, psichoziškais lyde-
riais, kurie reguliariai skelbėsi mesijais. Antrą sykį tais metais
jis skaitė Normano Kono** *Tūkstantmečio siekis*. Remiantis
Apokalipsės sampratomis iš Apreiškimo Jonui ir Danieliaus
knygų, buvo įtikinėjama, kad popiežius — Antikristas ir kad
artinasi pasaulio pabaiga, kai bus išgelbėti tik tyrieji, o tūks-
tančiai prasčiokų, keliaujančių nuo miesto prie miesto, užplūs
vokiečių kraštą žudydami žydus, kur tik juos suras, taip pat
kunigus, o kartais ir turčius. Paskui valdžia smurtu nuslopins
judėjimą ir po kelerių metų kur nors kitur atsiras kita sekta.
Iš savo nuobodulio ir saugaus būvio Edvardas skaitė tuos pa-
sikartojančius nesąmonių priepuolius šiurpinamai pakerėtas,

---

* J. S. Bacho savo antrai žmonai dedikuotas gaidų sąsiuvinis.
** *Norman Rufus Colin Cohn (1915-2007)* — britų mokslininkas, istorikas ir rašytojas.
Minimame svarbiame savo darbe, išverstame daugiau kaip į vienuolika kalbų, jis iki tolimos
praeities atsekė chiliastinio (chiliazmas — religinė doktrina, teigianti, kad Jėzus viešpataus
žemėje 1000 metų) perversmo modelį, sudarkiusį XX a. revoliucinius judėjimus.

džiaugdamasis gyvenąs laikais, kai religija apskritai išbléso iki nesvarbumo. Jis svarstė, ar paduoti dokumentus dėl doktorato, jeigu tik jo įgytasis mokslinis laipsnis pakankamai geras. Ši viduramžiška beprotybė galėtų būti jo disertacijos tema.

Pasivaikštinėdamas po bukmedžių giraitę, jis svajojo apie virtinę trumpų biografijų, kurias parašytų apie bemaž visai nežinomas asmenybes, gyvenusias arti svarbių istorinių įvykių centro. Pirmoji būtų seras Robertas Keris, žmogus, kuris per septynias valandas nujojo iš Londono į Edinburgą pranešti žinią apie Elžbietos I mirtį jos įpėdiniui Škotijos Jokūbui VI. Keris buvo įdomi figūra, naudingai parašęs savus memuarus. Jis kovojo prieš ispanų Armadą, buvo žinomas fechtuotojas ir „Lordo Čemberleno žmonių"* globėjas. Savo sunkia kelione jis siekė pelnyti sau naujojo karaliaus palankumą, tačiau išėjo atvirkščiai — nugrimzdo į reliatyvų nežinomumą.

Po pusvalandžio, per patį vidudienio karštį, Edvardas tebesibastė be tikslo po miestuko centrą, vis dar šiek tiek nuobodžiaudamas ir niršdamas ant savęs, kad be reikalo švaisto pinigus ir laiką. Tie būdavo vietinis jo kapitalas, bemaž visų paauglystės įspūdžių šaltinis arba pažadas. Bet po Londono čia jautėsi it žaisliniame mieste — nemaloniame ir provincialiame, juokingame savo pretenzijomis. Rūsčiai nužvelgtas iš koledžo prieangio paunksnės durininko, Edvardas buvo besugrįžtąs su juo pasikalbėti. Bet, užuot taip padaręs, nusprendė nusipirkti

* „Lord Chamberlain's Men" — teatro trupė, kurioje didžiumą savo karjeros metų dirbo kaip aktorius ir dramaturgas Viljamas Šekspyras.

paguodai alaus. Toliau traukdamas Sent Džailso gatve „Erelio ir vaiko" aludės link, jis pamatė ranka pieštą plakatą apie šaukiamą per priešpiečius vietos CND* mitingą ir suabejojo. Ne itin mėgo tuos rimtus sambūrius, nei susireikšminamą retoriką ar niūrų teisuoliškumą. Žinoma, ginklai bjaurūs ir turėtų būti uždrausti, bet jis per tokius mitingus niekada nieko naujo nesužinodavo. Vis dėlto tebemokėjo nario mokestį, neturėjo ką kita veikti ir šiek tiek jautėsi įsipareigojęs. Juk tai jo priedermė padėti išgelbėti pasaulį.

Jis nuėjo plytelėmis klotu koridoriumi ir įžengė į apytamsę salę su žemomis dažytomis stogo sijomis ir bažnytiniu poliruoto medžio ir dulkių kvapu, pro kurį dusliai aidėjo nedarnūs balsai. Akims apsipratus, pirmiausia jis pamatė Floransą, stovinčią prie durų ir kalbančią su kažkokiu gyslotu, geltono veido vyrioku, laikančiu rankose šūsnį pamfletų. Ji vilkėjo balta medvilnine suknele, plačiai išsiskleidusia it kokia balinė suknia, per juosmenį tvirtai susmaukta siauru mėlynu odiniu diržu. Mirksnį pamanė, kad ji — kokia nors medicinos sesuo, mat kažkaip abstrakčiai, tradiciškai seselės jam atrodė erotiškai, nes — šitaip mėgdavo fantazuoti — jos jau viską išmano apie jo kūną ir šio reikmes. Skirtingai nei daugelis merginų, į kurias jis spoksodavo gatvėje ar parduotuvėse, ji nenusuko akių. Jos žvilgsnis buvo pašaipiai klausiamas ar linksmas, taip pat galbūt nuobodžiaujantis ir trokštantis pramogos. Keistas

* Angl. santr.: *Campaign for Nuclear Disarmament* — Kampanija dėl branduolinio nusiginklavimo.

veidas, tikrai gražus, bet kažkoks skulptūriškas, tvirtų kaulų. Salės prieblandoje, vienintelei šviesai krintant pro aukštą langą jai iš dešinės, veidas, melancholiškas ir ramus, panėšėjo į iškaltą kaukę, buvo sunkiai įskaitomas. Patekęs į salę, jis nesustojo, žengė jos link, nenutuokdamas, ką pasakys. Įžanginėms frazėms neabejotinai buvo nevykėlis.

Kol Edvardas artinosi, ji nenuleido nuo jo akių, o kai atsidūrė pakankamai arti, paėmė iš savo draugo pamfletą ir pasiūlė:

— Norėtumėte vieną? Viskas apie vandenilinę bombą, nukrentančią ant Oksfordo.

Jam paėmus lankstinuką, jos pirštai nuslinko — tikrai ne netyčia — vidine jo riešo puse.

— Negaliu sugalvoti, ką mieliau perskaityčiau, — atsakė jis.

Vyriokas šalia jos tulžingai žvelgė laukdamas, kol jis pasitrauks, bet Edvardas liko stovėti kur stovėjęs.

NAMIE — DIDELĖJE KARALIENĖS VIKTORIJOS EPOCHOS GOTIkinio stiliaus viloje visai šalimais Banberio kelio, vos penkiolika minučių iki jo pėsčiomis — ji irgi nerado sau vietos. Violeta, jos motina, visą dieną karštyje taisydama ir vertindama baigiamųjų egzaminų darbus, nepakentė Floransos nuolatinių pratybų rutinos — kartojamų gamų ir *arpeggios*, grojimo iškart dviem stygomis pratimų, atminties testų. „Džyrinimas" — tokiu žodžiu Violeta tai vadino, pavyzdžiui: „Brangute, šiandien aš dar nebaigiau. Gal nesunku tau būtų atidėti savo džyrinimą, iki atsigersime arbatos?"

Tuo norėta švelniai pajuokauti, bet Floransa, kuri tą savaitę buvo neįprastai irzli, tai įvertino kaip dar vieną motinos nepritarimą jos karjerai ir kaip priešiškumą muzikai apskritai, taigi ir pačiai Floransai. Ji žinojo, kad turėtų gailėtis savo motinos, tokios be muzikinės klausos, kad nesugebėdavo atpažinti nė vienos melodijos, net nacionalinio himno, kurį pajėgdavo atskirti tik iš konteksto nuo „Su gimimo diena". Buvo viena iš tų žmonių, kurie nesugebėdavo pasakyti, ar viena gaida žemesnė arba aukštesnė už kitą. Tai buvo ne menkesnė negalia ir nelaimė negu šleivakojystė ar „kiškio lūpa", bet po reliatyvios laisvės Kensingtone, Floransa laikė gyvenimą namie šiek tiek slegiantį ir niekaip neįstengė jo pamėgti. Pavyzdžiui, ji buvo ne prieš kasryt pasikloti lovą, — visada tai darydavo, — bet nekęsdavo būti per kiekvienus pusryčius klausiama, ar pasiklojo.

Kaip dažnai pasitaikydavo, kai ilgiau būdavo išvykusi, tėvas jai kėlė prieštaringus jausmus. Kartais atrodydavo fiziškai atstumiantis, ir ji vos pakęsdavo jį matyti — spindinčią jo plikę, mažutes baltas plaštakas, nuolatinius planus, kaip pagerinti savo verslą ir užkalti dar daugiau pinigų. Ir girdėti aukšto tenoro jo balsą, įsiteikiamą ir kartu įsakmų, su ekscentriškai paskirstytais akcentais. Ji nemėgo klausytis jo entuziastingų pagyrų apie jachtą, juokingai pavadintą *Cukrinė slyva*, kurią laikė Pulo uoste. Ją erzino jo pasakojimai apie naują burę, ryšio su krantu radiją, ypatingą jachtos laką. Jis mėgdavo pasiimti Floransą kartu su savimi į jūrą, ir kelis kartus, kai ji buvo dvylikos ir trylikos, juodu nuplaukė per kanalą iki pat Karterė, netoli Šerbūro. Juodu niekada nesikalbėdavo apie tas išvykas. Jis daugiau dukters nebepakviesdavo, ir ji tuo džiaugėsi. Bet kai kada, užplūdus globėjiškam jausmui ir prasikaltusiai meilei, ji užeidavo tėvui už nugaros, kur jis sėdėdavo, apsivydavo rankomis kaklą, pabučiuodavo pakaušį ir įsikniaubdavo — jai patikdavo jo švaros kvapas. Darydavo tą viską, o vėliau už tai savęs nekęsdavo.

Ir nervus jai veikė jaunėlė sesuo su savuoju nauju Londono prastuolės akcentu ir išpuoselėtu kvailumu prie pianino. Kaipgi joms išpildyti tai, ko reikalavo tėvas, ir sugroti jam Susos* maršą, kai Ruta dėjosi nepajėgianti suskaičiuoti keturių ketvirtinių takte.

Kaip visada Floransa mokėjo slėpti savo jausmus nuo šeimos. Tam nereikėjo jokių pastangų — ji paprasčiausiai išeidavo iš kambario, kai tik būdavo įmanoma tą padaryti nedemonstratyviai, ir vėliau džiaugdavosi, kad nepasakė tėvams ar seseriai nieko kandaus ar įžeidžiamo, antraip visą naktį nemiegotų, graužiama kaltės jausmo. Ji nuolat sau primindavo, kaip mylinti savo šeimą, tokiu būdu sėkmingiau užsisklęsdama tyloje. Labai gerai žinojo, kad žmonės susipyksta, kartais netgi audringai, o paskui susitaiko. Bet ji nežinojo, nuo ko pradėti — tiesiog nežinojo, kaip toks dalykas — kivirčas, pra-

---

* *John Philip Sousa (1854-1932)* — amerikiečių kapelmeisteris ir kompozitorius, kūręs komiškas operas ir maršus.

skaidrinantis atmosferą — daromas, ir niekada nepajėgė iki galo patikėti, kad šiurkštūs žodžiai galėtų būti neišsakomi arba pamirštami. Geriau viską supaprastinti. Ji tik galėdavo save smerkti, kai jausdavosi nelyginat koks personažas iš laikraščių karikatūros — su šnypščiančiu iš ausų garu.

Ir ji turėjo kitų rūpesčių: rinktis antraeilį darbą kokiame nors provincijos orkestre, — laikytų save nepaprastai laiminga, jeigu pasisektų patekti į Bornmuto simfoninį, — ar dar metus pasilikti priklausoma nuo šeimos, faktiškai nuo savo tėvo, ir toliau rengti styginį kvartetą pirmam angažementui? Tai reikštų apsigyventi Londone, o jai nesinorėjo prašyti Džefrio papildomų pinigų. Violončelininkas, Čarlzas Rodvėjus, pasiūlė atliekamą miegamąjį savo tėvų namuose, bet jis buvo užsisvajojęs, stiprių jausmų vaikinas, nuo natų pulto siuntinėjantis į ją įdėmius, reikšmingus žvilgsnius. Gyvendama pas jį, ji priklausytų nuo jo malonės. Floransa žinojo apie viso etato darbą, kuris atitektų jai, jeigu tik paprašytų, „Palm Court" restorano stiliaus trio viename aptriušusiame, kadaise prašmatniame viešbutyje Londono pietuose. Ji nė kiek nedvejojo dėl muzikos, kokią turėtų groti, — vis tiek niekas nesiklausytų, — bet kažkoks instinktas ar paprasčiausias snobizmas kuždėjo, kad nederėtų gyventi Kroidono rajone ar kur nors netoliese. Įtikinėjo save, kad koledže pasiekti rezultatai padės apsispręsti, ir taigi kaip ir Edvardas už penkiolikos mylių į rytus miškingose kalvose stūmė dienas lyg kokiame prieškambaryje, nerimastingai laukdama, kada prasidės jos gyvenimas.

Pargrįžusi iš koledžo, pasikeitusi iš mokinukės, visais atžvilgiais subrendusi, nors niekas iš namiškių to tartum nepastebėjo, Floransa pradėjo suvokti, kad jos gimdytojų politinės pažiūros gana atgrasios, ir bent čia ji leido sau atvirai nesutikti prie pietų stalo per ginčus, kurie vangiai nusitęsdavo ilgais vasaros vakarais. Tai šiek tiek panėšėjo į iškrovą, bet šitie pokalbiai taip pat sukeldavo jai ir kažkokį nekantrumą. Violeta nuoširdžiai domėjosi savo dukters naryste CND, nors Floransą vargino turėti motiną filosofę. Ją suerzindavo motinos ramumas ar, tiksliau, liūdesys, kurį nutaisydavo išklausydama dukterį, o paskui pareikšdavo savąją nuomonę. Ji sakydavo, kad Sovietų Sąjunga — ciniška tironija, žiauri ir negailestinga valstybė, atsakinga už genocidą, net pranokstantį nacistinės Vokietijos, ir už platų, sunkiai suvokiamą politinių kalinių lagerių tinklą. Kalbėdavo apie parodomuosius teismo procesus, cenzūrą, teisės normų nesilaikymą. Sovietų Sąjunga pamynusi žmogaus orumą ir pagrindines teises, yra gniaužianti okupacinė jėga kaimyniniuose kraštuose, — tarp akademinių Violetos draugų buvo vengrų ir čekų, — ekspansionistinė savo įsitikinimais, ir šiai būtina priešintis lygiai taip pat, kaip priešintasi Hitleriui. O jeigu negalime pasipriešinti, nes mes neturime tankų ir žmonių šiaurės Vokietijos lygumai apginti, tai reikia atgrasyti. Po poros mėnesių motina pasirems Berlyno sienos statyba ir tvirtins, kad tai visiškas įrodymas — komunistinė imperija dabar tapo išvien milžinišku kalėjimu.

Širdyje Floransa žinojo, kad Sovietų Sąjunga, nepaisant visų savo klaidų — nerangumo, veiksnumo stokos, tikrai veikiau gynybiška, o ne piktų užmačių, — iš esmės yra naudinga pasaulyje jėga. Ji siekia ir visada siekė engiamųjų išlaisvinimo, stojo prieš fašizmą ir godaus kapitalizmo sukeltus padarinius. Palyginimas su nacistine Vokietija piktino Floransą. Violetos pažiūrose ji atpažino tipišką proamerikietiškos propagandos šabloną. Nusivylė motina ir netgi pasakė jai šitaip.

O tėvo pažiūros buvo kaip tik tokios, kokių ir galėtum tikėtis iš verslininko. Pusbutelis vyno dar labiau užaštrindavo jo žodžių asortimentą: Haroldas Makmilanas — kvailys, atiduodantis Imperiją be kovos, prakeiktas kvailys, kad neprimeta profsąjungoms atlyginimų apribojimų, ir apgailėtinai prakeiktas kvailys, kad mano eiti su kepure rankoje pas europiečius ir maldauti, kad tie priimtų į savo nelemtą klubą. Floransa patyrė, kad Džefriui sunkiau prieštarauti. Ji niekada nepajėgdavo nusikratyti nesmagaus priedermės jam jausmo. Tarp savo turėtų vaikystės privalumų buvo ir didelis dėmesingumas, kuris būtų galėjęs būti skirtas jos broliui, jo sūnui. Pernai vasarą tėvas nuolat po darbo pasiimdavo ją pasivažinėti savo automobiliu „Humber", kad jai lengviau sektųsi įgyti vairuotojo pažymėjimą, kai tik sukaks dvidešimt vienerius. Ji nepateisino vilčių. Smuiko pamokos nuo penkerių metų su vasaros kursais specialioje mokykloje, slidinėjimo ir teniso pamokos, taip pat skraidymo pamokos, kurių ji atžagariai atsisakė. O paskui kelionės: tik jų dviese, žygiai pėsčiomis po Alpes, Siera Nevadą ir Pirėnus, taip pat ypatingos išvykos, kelionės verslo reikalais su vienos nakties nakvyne į Europos miestus, kur ji su Džefriu visada apsistodavo prabangiausiuose viešbučiuose.

Kai po vidudienio paliko namus, turėjusi su motina garsiai neišsakytą nesutarimą dėl menkos namų ruošos smulkmenos, — Violetai ne itin patiko, kaip duktė naudojasi skalbimo mašina, — pasakė einanti išsiųsti laiško ir priešpiečių nenorėsianti. Banberio keliu ji pasuko į pietus, miesto centro link, su nekonkrečiu tikslu pasivaikštinėti po dengtą prekyvietę ir galbūt užsidurti ant kokios senos draugės iš mokyklos laikų. Arba galėtų tenai nusipirkti bandelę ir ją suvalgyti Kraistčerčo* pievoje, paunksnėje prie upės. Pastebėjusi Šv. Džailzo gatvėje plakatą, — tą, kurį po penkiolikos minučių pamatys Edvardas, — ji išsiblaškiusi užklydo vidun. Iš galvos vis nėjo motina. Tiek daug laiko bendrabutyje gyvenusi su nuoširdžiomis draugėmis, kai pargrįžo namo, ji pastebėjo, kokia fiziškai tolima tapo motina. Ši niekada nebučiuodavo, nei myluodavo Floransos, net kai buvo mažytė. Violeta išvis vos prisiliesdavo kada nors savo dukters. Galbūt taip ir geriau. Motina buvo liesa ir prakauli, todėl Floransa ne itin ilgėjosi jos glamonių. O dabar buvo per vėlu jas pradėti.

Kelios sekundės po to, kai iš saulėkaitos pateko į salę, Floransai paaiškėjo, kad įėjusi vidun padarė klaidą. Akims apsipratus, ji abejingai apsidairė aplink, lyg žiūrinėtų sidabrinių stalo indų kolekciją Ašmolo** salėse. Staiga iš patamsio

* *Christ Church* — vienas iš stambiausių ir aristokratiškiausių Oksfordo universiteto koledžų.
** Senovės istorijos, dailės ir archeologijos biblioteka ir muziejus prie Oksfordo universiteto.

išniro kažkoks šiaurinio Oksfordo vaikinas, kurio pavardę buvo pamiršusi, liesas dvidešimt dvejų metų akiniuotis, ir užspeitė ją. Be įžangos pradėjo aiškinti, kokios būtų pasekmės, jeigu ant Oksfordo nukristų vienintelė vandenilinė bomba. Bemaž prieš dešimtmetį, kai abu buvo trylikos, jis buvo ją pasikvietęs į savo namus Parktaune, vos už trijų gatvių, pasigėrėti nauju išradimu — televizoriumi, pirmu jos išvis matytu. Mažame, pilkame, blausiame ekrane, rėminame drožinėtų raudonmedžio durelių, žmogus su smokingu sėdėjo prie rašomojo stalo tarsi kokioje pūgoje. Floransa pamanė, kad ta naujoji keistenybė be ateities, bet po to amžinai šis bernas — Džonas? Deividas? Maiklas? — tartum buvo įsitikinęs ją esant jam skolingą draugystę, ir štai jis vėl tebereikalaująs grąžinti skolą.

Jo pamflete, kurio du šimtus egzempliorių turėjo pasikišęs po pažastimi, buvo numatytas Oksfordo likimas. Jis norėjo, kad ji padėtų šiuos išplatinti po miestą. Kai prisilenkė arčiau, Floransa pajuto plaukų kremo kvapą apsivyniojant jai apie veidą. Menkoje šviesoje plona kaip popierius jo oda turėjo geltos atspalvį, akys storų akinių lęšių buvo sumažintos iki siaurų juodų plyšių. Nesugebanti būti šiurkšti, Floransa nutaisė dėmesingą veidą. Aukšti liesi vyrai turėjo kažką patrauklaus — tuo, kaip iš po odos nepaslėpti ryškėjo jų kaulai ir Adomo obuolys, taip pat savo paukštiškais veidais, grobuoniškai pakumpusia nugara. Jo aprašomas krateris būsiąs mylios skersmens, šimto pėdų gylio. Dėl radioaktyvumo prie Oksfordo dešimt tūkstančių metų nebūsią galima prisiartinti. Tai pradėjo skambėti kaip išsivadavimo pažadas. Bet iš tikrųjų lauke nuostabusis miestas skleidėsi ankstyvos vasaros lapija, saulė šildė melasos spalvos akmenis iš Kotsvoldo kalvų, Kraistčerčo pieva turėtų būti pačiame puikume. Čia, salėje, per siaurą jaunikaičio petį Floransa įžvelgė po prietemą slankiojant kažkokias figūras — murmančias, sustatinėjančias kėdes — ir paskui pamatė einantį jos link Edvardą.

Daug savaičių vėliau, kitą karštą dieną, juodu prie Červelo upės išsinuomojo plokščiadugnę valtį ir nusiyrė aukštyn iki Viki Armso, o paskui pasroviui grįžo atgal į elingą. Pakeliui stabtelėjo prie gudobelių guoto ir pagulėjo ant kranto giliai paunksnėje — Edvardas aukštielninkas kramsnojo žolės stiebelį, o Floransa ilsėjosi padėjusi galvą jam ant rankos. Pokalbio pertrūkiais juodu klausėsi, kaip po valties dugnu teliūskuoja bangelės ir dusliai dunksi jos bortas, trinksintis į medžio strampgalį, už kurio buvo pririšta. Kartkartėmis silpnas vėjelis atnešdavo raminamai veikiantį silpną transporto eismo Banberio keliu gausmą. Įmantriai giedojo strazdas, stengdamasis pakartoti kiekvieną frazę, paskui pailsęs nuo karščio liovėsi. Edvardas vertėsi įvairiais laikinais darbais, daugiausia aikštelių prižiūrėtoju kriketo klube. O ji visą savo laiką skyrė kvartetui. Jų valandas dviese ne visada lengvai sekėsi suorganizuoti, tad juolab šios buvo brangesnės. Tąkart tai buvo ištaikyta šeštadienio popietę. Abu žinojo, kad ši diena — viena iš paskutiniųjų paties vidurvasario gražumo. Buvo jau rugsėjo pradžia, ir lapai ir žolynai, nors vis dar neabejotinai žali, atrodė suvargę. Pokalbis vėl sugrįžo prie tų akimirkų, dabar praturtintų asmeninės mitologijos, kai jųdviejų akys pirmą kartą apsistojo ties vienas kitu.

Atsakydama į klausimą, kurį prieš kelias minutes Edvardas uždavė, Floransa pagaliau prašneko:

— Todėl, kad tu buvai be švarko.

— Na ir kas?

— Hm. Palaidi balti marškiniai, rankovės paraitotos iki alkūnių, iš užpakalio kraštai nukarę bemaž iki...

— Nesąmonė.

— O pilkos flanelinės kelnės per kelį suadytos, nudėvėti sportbačiai ties pirštais besižiojantys. Ir ilgi plaukai, kone krintantys ant ausų.

— Kas dar?

— Atrodei šiek tiek susitaršęs, lyg būtum su kuo nors pešęsis.

— Rytą myniau dviračiu.

Ji pasikėlė ant alkūnės, kad galėtų geriau matyti jo veidą, ir juodu sulaikė vienas ant kito žvilgsnius. Tai tebebuvo jiems nauja ir svaiginanti patirtis — ištisą minutę žvelgti į akis kito suaugusiojo, nesijaučiant nepatogiai ar varžantis. Arčiausiai prie ko jųdviejų prieita, manė jis — tai prie pasimylėjimo. Ji ištraukė jam iš burnos žolės stiebelį.

— Tu toks kaimo stuobrys.

— Nagi. Kas dar?

— Gerai. Mat sustojai ant slenksčio ir apsidairei į visus, lyg ta vieta tau priklausytų. Išdidus. Ne, norėjau pasakyti, įžūlus.

Jis nusijuokė.

— Betgi aš irzau ant savęs.

— Paskui pamatei mane. Ir nusprendei įsispoksoti.

— Netiesa. Tai tu dirstelėjai į mane, ir aš nusprendžiau nesąs vertas antro žvilgsnio.

Ji pabučiavo jį — ne stipriai, bet juokaujamai, ar bent taip jam pasirodė. Tomis ankstyvosiomis dienomis jis manė esant tik mažos tikimybės, kad ji, viena iš tų pasakiškų merginų, kilusi iš padorių namų, panorės eiti su juo iki pat galo, ir dargi netrukus. Bet tikrai ne lauke, palei šią dažnai plaukiojamą upės atkarpą.

Jis prisitraukė ją arčiau, kol abiejų nosys beveik lietėsi, o veidai atsidūrė šešėlyje, ir paklausė:

— Vadinasi, tada pagalvojai, kad tai meilė iš pirmo žvilgsnio?

Jo tonas buvo nerūpestingas ir juokaujamas, bet ji nusprendė vertinti tuos žodžius rimtai. Nerimastys, su kuriomis teks susidurti, tebebuvo dar labai toli, nors kartkartėmis ji savęs klausdavo, kur link einanti. Prieš mėnesį juodu pasisakė mylį vienas kitą, ir tai abiem sukėlė virpulį, o po to jai tapo priežastimi pusiau pravaikščioti naktį, neaiškią baimę, kad pasielgusi skubotai, išleidusi iš rankų kažką svarbaus, atidavusi tai, kas iš tikrųjų jai nepriklausė, kad galėtų atiduoti. Bet buvo pernelyg įdomu, pernelyg nauja, pernelyg glostė savimeilę, pernelyg teikė nusiraminimą, kad norėtųsi priešintis: būti įsimylėjusiai ir taip sakyti reiškė išsilaisvinimą, ir ji tegalėjo sau leisti grimzti giliau. Dabar, ant upės kranto, migdančiame vienos iš paskutinių šios vasaros dienų karštyje, ji susitelkė į tą akimirką, kai jis stabtelėjo ant mitingo salės slenksčio, ir į tai, ką mačiusi ir ką jautusi, kai pažvelgė jo pusėn.

Stengdamasi padėti savo atminčiai, ji pasitraukė ir atsitiesė, pažvelgė nuo jo veido žalios drumzlinos upės link. Staiga šioje nebebuvo ramu. Kiek aukščiau pasroviui jų link nešėsi pažįstamas vaizdas: stačiu kampu susirakinusių ir besidaužančių viena į kitą dviejų perkrautų plokščiadugnių valčių įnirtinga kova ties posūkiu aplenkiant upės išlinkį, įprasti klyksmai, piratiški šauksmai ir taškymaisi. Universiteto studentai, tyčia vaizduojantys trenktus, jai priminė, kaip labai trokštanti būti kuo toliau nuo šios vietos. Dar būdamos mokyklos mokinės ji ir jos draugės laikė studentus nepatogumu, nesubrendėliais, užplūdusiais jų gimtąjį miestą.

Ji pamėgino labiau susitelkti. Jo apranga tada buvo neįprasta, bet užvis labiausiai ji pastebėjo veidą — mąslų, švelniai ovalų, aukštos kaktos, su tamsiais, plačiai išlenktais antakiais — ir ramų žvilgsnį, klaidžiojantį po susirinkusiuosius ir apsistojantį ties ja, lyg jis būtų ne salėje, bet viską įsivaizduotų, sapnuotų Floransą. Atmintis nepaslaugiai įterpė tai, ko ji dar nebūtų galėjusi girdėti — silpną kaimišką šniaukrojimą jo balse, artimą vietiniam Oksfordo akcentui, su užuomina į Vakarų kraštą.*

Ji vėl pasisuko į jį:

---

* Šitaip vadinami Anglijos pietvakariai, ypač Kornvalio, Devono ir Somerseto grafystės.

— Tu mane sudominai.

Bet buvo abstrakčiau negu tai. Tuo metu jai net neatėjo į galvą patenkinti savo smalsumą. Nemanė, kad juodu susipažins arba kad ji turėtų ko nors imtis, jog taip įvyktų. Tartum smalsumas būtų buvęs atsietas nuo jos pačios — iš tikrųjų tai jos nebuvo salėje. Įsimylėjus jai aiškėjo, kokia esanti keista, kokia nuolatos užsisklendusi savo kasdienėse mintyse. Kada tik Edvardas bepaklausdavo „Kaip tu jautiesi?" arba „Apie ką tu mąstai?", ji visada atsakydavo nevykusiai. Nejau jai taip ilgai truko suprasti, kad stokoja kažkokios paprastos dvasinės ypatybės, kurią visi kiti turi, mechanizmo tokio įprasto, kad niekas nė neužsimena apie jį, betarpiško jausminio ryšio su žmonėmis ir įvykiais, taip pat su savo pačios reikmėmis ir potroškiais? Visus tuos metus ji gyveno užsidariusi savyje ir, keista, nuo savęs, niekada nenorėdama ar nedrįsdama atsigręžti atgal. Akmeninių grindų aidžioje salėje su sunkiomis žemomis sijomis jos problemos dėl Edvardo jau reiškėsi tas pirmas kelias sekundes, pirmąkart jiedviem apsimainius žvilgsniais.

JIS GIMĖ 1940-AISIAIS, TĄ SAVAITĘ, KAI PRASIDĖJO MŪŠIS DĖL Britanijos. Tėvas, Lajonelis, vėliau jam pasakys, kad tą vasarą du mėnesius istorija stebėjo užgniaužusi kvapą, kai sprendėsi, bus ar nebus pirmoji Edvardo kalba vokiečių. Iki dešimto savo gimtadienio jis suprato, kad tai buvo tik toks kalbėjimo būdas — pavyzdžiui, visoje okupuotoje Prancūzijoje vaikai ir toliau kalbėjo prancūziškai. Tervil Hitas — Tervilo Viržynas — buvo mažiau nei kaimelis: veikiau retai išsibarstę namukai ir bendruomeninė žemė plačiame kalvagūbryje virš Tervilo gyvenvietės. Į ketvirto dešimtmečio pabaigą šiaurrytinis Čilternsų galas, tas, kuris arčiau Londono, už trisdešimties mylių, išgyveno besiplečiančio miesto įsibrovimą ir jau buvo tapęs priemiestiniu rojumi. Bet pietvakariniame smaigalyje, į pietus nuo Bikon Hilo, kur kažkada netrukus per prakirtą kreidingame dirvožemyje greitkeliu Birmingamo link pradės plūsti automobilių ir sunkvežimių srautas, kraštovaizdis daugmaž liko nepakitęs.

Visai šalia Meihju namuko, žemiau provėžų išvagoto, staigiai besisukančio kelio per beržyną pro Spinio sodybą plytėjo Vormslio slėnis — užkampio grožybė, parašė kažkoks pravažiuojantis autorius, šimtmečius priklausiusi vienai ūkininkaujančiai šeimai, Feinams. 1940-aisiais namuko gyventojai tebesinaudojo šulinio vandeniu, kuris buvo nešamas į pastogę ir pilamas į baką. Šeimoje liko sakmė, kad kai šalis rengėsi pasipriešinti Hitlerio invazijai, Edvardo gimimas vietinės valdžios laikytas nepaprastu įvykiu, higienos krize. Rugsėjį, prieš pat prasidedant Londono žaibiniam puolimui — vokiečių aviacijos antskrydžiams — atėjo vyrai, gana pagyvenę vyrai su kirtikliais ir kastuvais, ir nuo Nortendo kelio į namą pravedė vandentiekį.

Lajonelis Meihju buvo klasikinės mokyklos Henlyje direktorius. Anksti rytais jis penkias mylias dviračiu numindavo į darbą, o dienos pabaigoje ilga stačia įkalne į viržyną parsistumdavo dviratį su namų darbais ir kitais popieriais, sukrautais pintiniame krepšelyje, pritvirtintame iš priekio prie rankenų. 1945-aisiais, kai gimė dvynukės, jis Kristmas Komone iš vienos Atlanto konvojuose žuvusio laivyno karininko našlės už vienuolika svarų nusipirko padėvėtą automobilį. Anuo metu tuose siauruose kreidos keliukuose tai tebebuvo retai matomas dalykas — mašina, besispraudžianti pro vežimus, įkinkytus darbiniais arkliais. Bet dažnai pasitaikydavo, kad dėl normuojamo benzino Lajoneliui vėl tekdavo persėsti ant dviračio.

Šeštojo dešimtmečio pradžioje jo nusistovėjusi tvarka grįžti namo buvo beveik netipiška kaip profesiją turinčiam žmogui. Nuo dviračio jis popierius pasiimdavo tiesiai į mažutį kabinetą šalia paradinių durų ir rūpestingai šiuos išdėliodavo. Tai buvo vienintelis tvarkingas namuose kambarys, ir jam buvo svarbu saugoti savo darbinį gyvenimą nuo naminės aplinkos. Paskui jis pasižiūrėdavo vaikų — laikui bėgant visi, Edvardas, Ana ir Harietė, lankė gyvenvietės mokyklą Nortende ir pareidavo patys. Kelias minutes pasišnekėdavo su Mardžore, paskui pasukdavo į virtuvę — užplikyti arbatos ir sutvarkyti, kas buvo likę nuo pusryčių.

Tik tuomet, kai būdavo pagaminta vakarienė, baigdavosi namų ruoša. Pakankamai paūgėję vaikai padėdavo, bet iš to būdavo maža naudos. Tik atviros, nepadengtos visokiu šlamštu grindų dalys būdavo išvis pašluojamos, ir tik daiktai, reikalingi kitai dienai — daugiausia drabužiai ir knygos — sutvarkomi. Lovos niekada nebūdavo klojamos, patalynė retai keičiama, ankštame, ledo šaltumo vonios kambarėlyje dubuo rankoms plauti niekada nešveičiamas — kietose pilkose apnašose galėjai nagu išbraižyti savo vardą. Ganėtinai sunkiai sekdavosi paspėti su neatidėliotinomis reikmėmis — atnešti į virtuvę krosniai anglies, žiemą prižiūrėti svetainėje židinį, kad neužgestų, vaikams surasti apyšvarius mokyklinius drabužius. Skalbiamasi būdavo sekmadieniais popiet, ir dėl to tekdavo pakurti po variniu katilu ugnį. Lietingomis dienomis džiūstantys drabužiai būdavo sukabinėjami ant baldų po visą namą. Naudotis laidyne buvo ne Lajoneliui — viskas būdavo išlyginama ranka ir sulankstoma. Kartkartėmis kuri nors iš kaimynių patalkindavo kaip namų darbininkė, bet nė viena ilgai neužsilaikydavo. Darbų apimtis būdavo per didelė, o tos vietinės moterys turėjo ir savo šeimas, kuriomis reikėdavo rūpintis.

Meihju šeima vakarieniaudavo prie pušinio sulankstomojo stalo, įsprausto į ankštą virtuvės netvarką. Suplauti indus visada būdavo paliekama vėlesniam laikui. Visų padėkota už valgį, Mardžorė nuklysdavo prie vieno iš savųjų projektų, o vaikai nurinkdavo lėkštes ir atsinešdavo ant stalo knygas ruošti namų darbus. Lajonelis pasitraukdavo į savo kabinetą taisyti pratybų sąsiuvinių, užsiimti administravimo rūpesčiais ir papsint pypkę klausytis per radiją žinių. Po kokios pusantros valandos jis išeidavo patikrinti jų namų darbų ir parengti lovon. Jis visada jiems skaitydavo — atskiras istorijas Edvardui ir mergaitėms. Dažnai jie užmigdavo girdėdami iš apačios atsklindančius garsus, kai jis plaudavo indus.

Tėvas buvo romus žmogus, kresno sudėjimo kaip koks ūkio darbininkas, drumzlinai melsvų akių, smėlio spalvos plaukais ir trumpais, kariškai pakirptais ūsais. Kai gimė Edvardas, buvo jau per senas, — trisdešimt aštuonerių, — kad būtų pašauktas į armiją. Lajonelis retai pakeldavo balsą, pliaukštelėdavo delnu ar lupdavo diržu savo vaikus, kaip darydavo daugelis tėvų. Tikėjosi, kad jo klausys, ir vaikai, galbūt jausdami tėvo atsakomybių naštą, neprieštaraudavo. Žinoma, savo materialinę padėtį jie laikė savaime suprantama, nors ir gana dažnai matydavo savo draugų namus — tas malonias, ryšinčias prijuostėmis motinas savosiose baisiai tvarkingose valdose. Niekada Edvardui, Anai ir Harietei nekilo klausimas, kad jie yra ne tokie laimingi kaip kuris nors iš jų draugų. Lajonelis vienas nešė tą naštą.

Tik sulaukęs keturiolikos Edvardas visiškai suprato, kad jo motinai yra kažkas ne taip, ir jis nepajėgė prisiminti to laiko, apie penktuosius savo gyvenimo metus, kai ji staiga pasikeitė. Kaip ir jo seserys, užaugo kartu su niekuo neįstabiu motinos pakrikusio proto faktu. Ji buvo šmėkliška asmenybė, liesa ir švelni fėja susitaršiusiais rudais plaukais, klaidžiojanti po namus, kaip klaidžiojo po jų vaikystes, kartais linkusi bendrauti ir netgi meili, o kartais — atoki, įsigilinusi į savo pomėgius ir projektus. Bet kuriuo dienos metu ir net vidur nakties būdavo galima ją girdėti apgraibomis skambinant tas pačias paprastas fortepijono pjeses, visada klystant tose pačiose vietose. Dažnai ji sode krapštinėdavosi apie beformę gėlių lysvę, pačios sukastą pačiame vejos viduryje. Tapyba, ypač akvarele, — tolimų kalvų ir bažnyčios smailių, supamų miškų pirmame plane vaizdeliai, — dar labiau didino visuotinę netvarką. Ji niekada neišplaudavo teptukų, nei neišpildavo žalsvo vandens iš stiklainių nuo džemo, nei padėdavo į vietą dažus ir skudurėlius, nei susirinkdavo savo įvairius badymus — iš kurių nė vienas niekada nebūdavo užbaigiamas. Vilkėdavo savuoju tapybos palaidiniu ištisai dienų dienas, ilgai po to, kai priepuolis tapyti jau būdavo praėjęs. Kita veikla, — galimas daiktas, patarta kaip darbo terapijos atmaina, — reiškėsi karpymu iš žurnalų paveikslėlių ir šių klijavimu į iškarpų albumus. Dirbdama ji mėgo slampinėti po namus, ir išmestos popieriaus iškarpos maišėsi visur po kojomis, sumintos į plikų grindlenčių nešvarumus. Klijų teptukai sukietėdavo atviruose puodukuose, kur ji šiuos palikdavo ant kėdžių ir palangių.

Tarp kitų Mardžorės domesio dalykų buvo stebėti pro svetainės langą paukščius, megzti ir siuvinėti, taip pat tvarkyti į puokštę gėles — viskas buvo atliekama su tuo pačiu užsisvajojusiu, chaotišku intensyvumu. Dažniausiai Mardžorė tylėdavo, nors kartais jie girdėdavo ją murmant sau po nosimi, kai stengdavosi įveikti kokią sunkią užduotį: „Nagi... nagi... nagi."

Niekada Edvardui netoptelėjo į galvą savęs paklausti, ar ji laiminga. Tikrai, jai užeidavo nerimo akimirkos, panikos tarpsniai, kai pradėdavo kvėpuoti su pertrūkiais, o plonos jos rankos tai pakildavo, tai nukrisdavo prie šonų, ir visas dėmesys staiga nukrypdavo į savo vaikus, į konkrečią reikmę, kurios, žinojo, privalanti imtis: Edvardo nagai per ilgi, turinti suadyti įplėštą suknelę, dvynes reikia išmaudyti. Ji įpuldavo tarp jų, tuščiai bruzdėdavo, subardama ar glausdama prie savęs, bučiuodavo veidus ar darydavo viską iškart, bandydama kompensuoti už prarastą laiką. Tai atrodė bemaž kaip meilė, ir vaikai gana laimingi pasiduodavo jai. Bet iš patirties jie žinojo, kad namų ūkio tikrovė buvo atgrasi — niekaip nebūdavo surandama žirklučių nagams karpyti ir tinkamo įverti į adatą siūlo, o kad sušildytum voniai vandenį, prireikdavo ruoštis valandas. Netrukus jų motina vėl nutoldavo, sugrįždavo į savą pasaulį.

Tokios nuotaikos galbūt būdavo sukeltos kažkokios dalelytės ankstesnių jos pačios pastangų įtvirtinti savikontrolę, pusiau suvokiant savosios būklės pobūdį, miglotai prisimenant prieš tai buvusį gyvenimą ir staiga baugiai trumpam suprantant savojo praradimo mastą. Bet didžiumą laiko Mardžorė tenkinosi įsitikinimu, faktiškai įmantria pasaka, kad esanti mylinti žmona ir motina, kad namų ūkis sklandžiai funkcionuoja viso jos darbo dėka ir kad nusipelnanti šiek tiek laiko sau pačiai, kai pareigos atliktos. Ir idant kuo labiau sutrumpintų blogus tarpsnius ir neišgąsdintų to ankstesnės jos sąmonės likučio, Lajonelis ir vaikai slapčia sutartinai apsimetinėdavo. Pradedant vagyti ji galėdavo pakelti mąslias akis nuo savo vyro įdėtų pastangų ir nusibraukdama nuo veido užkritusią plaukų sruogą maloniai pasakyti: „Tikiuosi, jums tas patiko. Norėjau pabandyti ką nors nauja.“

Visada tai būdavo kas nors sena, nes Lajonelio repertuaras buvo siauras, bet niekas jai neprieštaraudavo, ir tradiciškai po kiekvieno valgio vaikai ir jų tėvas jai padėkodavo. Tokia apsimetinėjimo forma visiems jiems teikė paguodos. Kai Mardžorė pareikšdavo sudarinėjanti sąrašą pirkinių iš Vatlingtono parduotuvės ar kad turinti išlyginti daugiau paklodžių, nei pajėgianti suskaičiuoti, gretutinis šviesaus normalumo pasaulis visai šeimynai atrodydavo ranka pasiekiamas. Bet iliuziją būdavo galima palaikyti tik tuomet, jeigu šios niekas neaptarinėdavo. Jie užaugo joje, neutraliai slopindami absurdiškumus, nes tie niekada nebūdavo įvardijami.

Kažkaip jie apsaugodavo ją nuo draugų, kuriuos parsivesdavo namo, visai taip pat, kaip saugodavo savo draugus nuo jos. Šie priimdavo vietinę nuomonę, — arba išvis tik tiek jie buvo girdėję, — kad ponia Meihju yra meniškos sielos, ekscentriška ir žavinga, galbūt genijus. Vaikų netrikdė, kai girdėdavo savo motiną sakant dalykus, kurie, žinojo, negali būti tiesa. Prieš akis jos nelaukė sunki diena, iš tikrųjų ji nevirusi visą popietę gervuogių džemo. Tai buvo ne prasimanymai, o apraiškos to, kas iš tiesų jų motina buvo, ir jie privalėjo ją globoti — tylomis.

Paskui buvo įsimintinos kelios minutės, kai Edvardas, keturiolikmetis, atsidūrė vienas su savo tėvu sode ir pirmą sykį išgirdo, kad jo motina — pažeistų smegenų. Šis terminas buvo užgaulus, šventvagiškas kvietimas neištikimumui. *Pažeistų smegenų*. Kažkas negera jos galvai. Jeigu kas nors kitas būtų taip pasakęs apie jo motiną, Edvardas būtų jautęs pareigą muštis ir kaip reikiant aną prikulti. Bet net ir klausydamasis priešiškoje tyloje to šmeižto, jis jautė nukrintant sunkulį. Žinoma, tai tiesa, ir jis nepajėgė su ja kovoti. Tuojau pat galėjo pradėti save įtikinėti, kad visąlaik tai žinojęs.

Karštą, drėgną gegužės pabaigos dieną juodu su tėvu stovėjo po didele guoba. Kelias dienas lijus, oras buvo kupinas vasaros pradžios gausybės — paukščių čiulbesio ir vabzdžių dūzgimo, eilėmis gulinčios vejoje priešais namuką nušienautos žolės kvapo, veržlaus, atkaklaus sodo raizgyno, bemaž neatskiriamo nuo miško pakraščio už statinių tvoros, žiedadulkių, nešančių tėvui ir sūnui pirmą šio metų laiko šienligės dvelksmą, ir pievutėje po jųdviejų kojomis saulės šviesos ir šešėlių žaismo, papūtus lengvam vėjeliui. Tokioje aplinkoje Edvardas klausėsi tėvo ir mėgino prišaukti sau į atmintį nuožmios 1944-ųjų žiemos gruodžio dieną, judrų Vikamo geležinkelio stoties peroną ir savo motiną, susisupsčiusią ilgu šiltu paltu, nešiną parduotuvės maišeliu su menkomis karo meto Kalėdų dovanomis. Ji žengė pasitikti traukinio iš Merilbono stoties, nuvešiančio į Prinses Risborą ir toliau į Votlingtoną, kur ją turėjo pasitikti Lajonelis. Edvardas liko namie, prižiūrimas kaimynų paauglės dukters.

Esama tam tikros savimi pasitikinčių keleivių rūšies, mėgstančių atidaryti vagono duris prieš pat sustojant traukiniui, kad galėtų išlipti į peroną šiek tiek pirma kitų. Galbūt toksai, palikdamas traukinį dar šiam nesustojus, nori įtvirtinti savo nepriklausomumą: nesąs koks nors pasyvus krovinio gniutulas. Galbūt šitaip jis pagyvina jaunystės prisiminimą ar paprasčiausiai taip skuba, kad svarbi kiekviena sekundė. Traukinys susistabdo, galbūt šiek tiek smarkiau negu visada, ir durys atsilapoja, rankenai ištrūkus iš to keleivio gniaužto. Sunkus metalinis kraštas trenkia Mardžorei Meihju į kaktą su pakankama jėga, kad įlaužtų kaukolę ir akimirksniu išklibintų asmenybę, protą ir atmintį. Koma jai truko tik neilgiau kaip savaitę.

Keleivis, savo akimis mačiusių liudininkų apibūdintas kaip solidžios išvaizdos Londono Sičio džentelmenas, perkopęs šešiasdešimtį, su katiliuku, sulankstytu lietsargiu ir laikraščiu, nuskubėjo iš įvykio vietos, — jauna moteris, nėščia dvynukėmis, dryksojo ant žemės tarp keleto išsibarsčiusių žaislų, — ir visam laikui dingo Vikamo gatvėse, visai negraužiamas kaltės jausmo arba bent taip sakė viliąsis Lajonelis.

Ana keista akimirka sode — lūžis Edvardo gyvenime — įtvirtino jo sąmonėje ypatingą prisiminimą apie tėvą. Jis laikė rankoje pypkę, kurios neprisidegė, kol nepabaigė pasakoti. Sulenkęs apie galvutę smilių, laikė ją parengtą užsirūkyti, su koteliu, pakibusiu ore kokią pėdą nuo savo burnos kampo. Kadangi buvo sekmadienis, liko nenusiskutęs veido — Lajonelis neturėjo religinių įsitikinimų, nors mokykloje formaliai atlikdavo, kas dera. Jis mėgdavo pasilikti tą vieną rytą per savaitę sau. Sekmadienių rytais nesiskusdamas — o tai buvo ekscentriška kaip jo padėties žmogui — jis sąmoningai išskirdavo save iš bet kurios socialinio įsipareigojimo formos. Vilkėjo susiglamžiusiais, be apykaklės, marškiniais, net neišlygintais ranka. Laikėsi atsargiai, šiek tiek santūriai — turbūt šį pokalbį buvo iš anksto surepetavęs mintyse. Kalbėdamas kartais žvilgsniu nuo sūnaus veido nuklysdavo į namą, tartum stengtųsi tiksliau perteikti Mardžorės būklę ar saugotųsi mergaičių. Baigęs uždėjo ranką Edvardui ant peties — taip nebuvo pratęs elgtis — ir nusivedė jį kelis paskutinius jardus į patį sodo galą, kur aplūžusi medinė tvora buvo bedingstanti po atakuojančiu atvašynu. Toliau plytėjo penkių akrų laukas, be avių, kolonizuotas vėdrynų, nusidriekiančių dviem plačiais išsiskiriančiais ruožais kaip keliai.

Juodu stovėjo vienas greta kito, Lajonelis pagaliau prisidegė pypkę, o Edvardas, gebantis prisitaikyti, kaip būdinga jo metams, toliau tylomis išgyveno slinktį nuo sukrėtimo iki susitaikymo su faktu. Be abejo, jis visada žinojo. Jo naivumą nuolatos palaikė tai, kad nebuvo termino jos būklei įvardyti. Jis niekada nė nepagalvodavo ją esant kokios nors būklės ir tuo pat metu pripažindavo, kad motina yra kitokia. Toji prieštara dabar buvo išrišta paprasčiausiai įvardijant — žodžių galia padaryti tai, kas nematoma, akivaizdžiu. *Pažeistų smegenų.* Tas terminas nutraukė artumą, šaltai vertino jo motiną viešu standartu, kurį kiekvienas galėjo suprasti. Staiga pradėjo vertis atstumas ne tik tarp Edvardo ir motinos, bet ir tarp jo paties ir betarpiškų jo aplinkybių, ir jis jautė savo būtį, slaptą jos esmę, apie kurią niekada anksčiau nesusimąstydavo, netikėtai pereinant į griežtai apibrėžtą egzistenciją, rusenančią menkybę, apie kurią jis nenorėjo, kad kas nors žinotų. Jo motina — pažeistų smegenų, o jis — ne. Nesąs savo motina, nei savo šeima, kada nors išvyksiąs ir grįšiąs kaip svečias. Ir dabar įsivaizdavo esąs svečias, palaikantis savo tėvui draugiją po to, kai ilgai buvo iškeliavęs svetur, žvelgiantis kartu su juo per lauką į plačius vėdryno takus, išsiskiriančius prieš pat nedidelį žemės nuolydį miško link. Eksperimentavo su vienatvės jausmu ir jautė dėl to kaltę, bet taip pat buvo ir sujaudintas šio stiprumo.

Lajonelis tartum suprato savo sūnaus tylėjimo prasmę. Pasakė Edvardui, kad buvo nuostabus savo motinai, visada švelnus ir paslaugus, ir kad šis pokalbis nieko nekeičia. Paprasčiausiai laikąs jį jau pakankamai suaugusiu, kad žinotų faktus. Šiuo momentu į sodą atbėgo dvynės ieškoti brolio, ir Lajonelis tik suspėjo pakartoti: „Tai, ką aš pasakiau, nieko nekeičia“, ir mergaitės jau atsidūrė tarp jų, o paskui nusitempė Edvardą namuko link, kad jis pareikštų savo nuomonę apie kažką, ką jos padariusios.

Bet apie tą laiką jam keitėsi ir daug kas kita. Jis mokėsi Henlio klasikinėje mokykloje ir buvo bepradedąs iš įvairių mokytojų girdėti, kad galėtų būti „tinkamas universitetui“. Jo draugas Saimonas iš Nortendo ir visi kiti gyvenvietės berniukai, su kuriais jis lakstydavo, lankė šiuolaikinę realinę vidurinę mokyklą ir netrukus ją baigę eis mokytis amato ar dirbti fermoje, kol bus pašaukti atlikti karinės prievolės. Edvardas tikėjosi, kad jo ateitis bus kitokia. Jau jausdavosi tam tikro varžymosi, kai jis būdavo su savo draugais — tiek iš jų, tiek ir iš jo. Kaupiantis namų darbams, — kad ir kokio romaus būdo, šiuo atžvilgiu Lajonelis buvo tironas, — Edvardas po pamokų nebesiausdavo su draugais miške, kur statydavo stovyklas ar spąstus ir piktindavo Vormslio ar Stonoro dvarų jėgerius. Nors ir mažas miestukas, Henlis turėjo miestiškų pretenzijų, ir Edvardas buvo beišmokstąs slėpti, kad žino, kaip vadinasi peteliškės, paukščiai ir laukinės gėlės, augančios Feinų giminės žemėje čia pat slėnyje už namuko — varpeliai, trūkažolė, žvaigždūnė, dešimtis rūšių gegužraibių ir garbenių, ir reta vasarinė snieguolė. Mokykloje tokios žinios galėtų paženklinti jį kaip kaimo Jurgį.

Tądien išgirdus apie savo motinos nelaimingą atsitikimą, išoriškai niekas nepasikeitė, bet visi mažučiai poslinkiai ir persitvarkymai jo gyvenime tartum susikristalizavo į tą naują žinojimą. Jis buvo jai dėmesingas ir švelnus, toliau padėjo palaikyti fikciją, kad ji valdo namus ir kad viskas, ką ji sako, iš tikrųjų taip ir yra, bet dabar sąmoningai vaidino ir šitaip elgdamasis tvirtino tą naujai atrastą mažutį kietą individualybės branduolį. Šešiolikos metų jis pamėgo ilgas niaurias klajones. Kai išeidavo iš namų, tai padėdavo praskaidrinti protą. Dažnai jis žingsniuodavo Holand Leinu, giliai įdubusiu tarp abipus trupančių samanotų skardžių kreidos keliu, besileidžiančiu pakalnėn iki Tervilio, o paskui nužygiuodavo Hembldeno slėniu iki Temzės, ties Henliu kirsdamas tiltu į Berkširo aukštumas. Terminas „tineidžeris" dar ilgai nebuvo sugalvotas, ir Edvardui niekada neatėjo į galvą, kad atskirtimi, kurią jis jautė, kankinama ir kartu nepaprastai malonia, būtų galima dalytis su kuo nors kitu.

Neatsiklausęs, nei net pasakęs tėvui, vieną savaitgalį jis pakeleivingomis mašinomis nukako į Londoną, kur Trafalgaro aikštėje vyko mitingas prieš invaziją į Suecą. Ten patekęs, pakilios nuotaikos akimirką nusprendė, kad nepaduos pareiškimo į Oksfordą, kur norėjo, kad jis eitų Lajonelis ir visi mokytojai. Tas miestelis — pernelyg pažįstamas, mažai kuo skyrėsi nuo Henlio. Atvyksiąs čia, kur žmonės atrodė didesni, triukšmingesni ir nenuspėjami, o garsiosios gatvės — nerūpestingai nusimetusios savo reikšmingumą. To slapto plano niekam neišsidavė — nenorėjo per anksti sukelti pasipriešinimą. Taip pat ketino išvengti karinės prievolės, kuri, nusprendė Lajonelis, būtų jam naudinga. Šios asmeninės užmačios dar labiau ištobulino užslėptą jo savojo aš suvokimą, stiprią sąsają su juslingumu, ilgesingu ir užaštrintu egotizmu. Skirtingai nei kai kurie berniukai mokykloje, jis nejautė nepakantos savo namams ir šeimai. Laikė savaime suprantamais mažus kambarius ir šių skurdą, taip pat nesijautė nepatogiai dėl savo motinos. Paprasčiausiai jis nekantravo pradėti nuosavą gyvenimą, tikrą istoriją, ir pagal tai, kaip viskas buvo sutvarkyta, jis negalėjo to daryti, kol neišlaikė baigiamųjų egzaminų. Taigi atkakliai mokėsi ir baigė gerais įvertinimais, ypač už savąjį istorijos bakalauro darbą. Buvo ganėtinai draugiškas su savo sesėmis ir tėvais, toliau tebesvajodamas apie tą dieną, kai paliks namuką Tervil Hite. Bet tam tikra prasme jis jau buvo šį palikęs.

TREČIAS

ATSIDŪRUSI MIEGAMAJAME, FLORANSA PALEIDO EDVAR-do ranką ir pasiremdama į vieną iš ąžuolinių stulpelių, prilaikančių virš lovos baldakimą, staigiai pasilenkė pirma į dešinę, paskui — į kairę, kaskart žaviai nuleisdama petį, kad nusiautų batelius. Šie buvo skirti kaip tik kelionei po vestuvių, vieną kupiną barnių lietingą popietę kartu su motina jos nusipirkti iš „Debenhams"*, — įžengti į kokią parduotuvę Violetai būdavo neįprasta ir sukeldavo stresą, — minkštos šviesiai mėlynos odos, žemakulniai ir su mažučiais kaspinėliais priekyje, meniškai surištais iš tamsesnio mėlynumo odos. Nuotaka nesiskubino — dar viena iš tų vilkinimo taktikų, kuri taip pat ją įpareigojo ir tolesniam. Žinojo savo vyrą sužavėtą spoksant, bet šiuo metu ji nejautė itin didelio nerimo ar įtampos. Įeidama į miegamąjį pasinėrė į nesmagią tartum sapne būseną, varžančią kaip koksai senamadiškas maudymosi kostiumėlis giliame vandenyje. Savo pačios mintys buvo tartum svetimos — iš kažkur vamzdeliais atvestos vietoje deguonies.

Ir šitokios būklės ji mintyse girdėjo iškilmingą, paprastą

* Stambi prekybos firma, turinti universalinių parduotuvių tinklą Didžiosios Britanijos miestuose.

muzikinę frazę, skambančią ir pasikartojančią neaiškiai, neperprantamai klausos atmintyje, atlydinčią ją iki lovos, kur vėl suskambo, kai paėmė į kiekvieną ranką po batelį. Pažįstama frazė, — kas nors galbūt net būtų pavadinęs ją gerai žinoma, — susidėjo iš keturių aukštėjančių gaidų, kurios tartum kėlė nedrąsų klausimą. Mat instrumentas buvo veikiau violončelė, o ne jos smuikas, klausėjas — ne ji pati, bet neutralus stebėtojas, šiek tiek nepatiklus, bet taip pat ir atkaklus, nes po trumpos tylos ir vangaus, neįtikinamo kitų instrumentų atsako, violončelė vėl uždavė klausimą, kitaip suformuluotą, kitu akordu, o paskui vėl ir vėl, ir kaskart sekė abejotinas atsakas. Tiems garsams ji nepajėgė pririnkti žodžių: lyg nieko nebuvo sakoma. Klausimai stokojo turinio — tartum vien tik klaustukai.

Tai buvo Mocarto kvinteto įžanga, sukėlusi šiokį tokį ginčą tarp Floransos ir jos draugų: kad būtų galima groti, reikėtų pritraukti dar vieną altininką, o kiti buvo linkę vengti komplikacijų. Bet Floransa užsispyrė, norėjo ką nors surasti šiam dalykėliui, ir kai pakvietė vieną bendrabučio draugę iš to paties koridoriaus, kad prisidėtų prie jų repetuoti, ir visi sugrojo iš natų, savaime suprantama, violončelininkas, kad ir koks savimeilis, liko sužavėtas ir gana greitai pasidavė kūrinio kerams. Ir kas gi nepasiduotų? Jeigu įžanginė frazė ir kėlė sunkų klausimą, ar išsilaikys „Enismoro kvartetas“, — šitaip pasivadinęs pagal merginų bendrabučio adresą, — viskas buvo išspręsta Floransos ryžto, susidūrus su opozicija vienai prieš tris, ir jos atkaklaus pasikliovimo savo geru skoniu.

Kol ėjo per miegamąjį, vis dar nugara į Edvardą, vis dar mėgindama laimėti laiko, kol rūpestingai statė batelius ant grindų prie drabužių spintos, tos pačios keturios gaidos priminė jai šią kitą savojo charakterio pusę — Floransą, kvarteto vadovę, šaltai primetančią savo valią kitiems, niekada nuolankiai nepaklūstančią visuotinai įprastiems lūkesčiams. Ji — ne kokia nors avelė, kad romiai leistųsi papjaunama. Arba įsiskverbiama. Griežtai paklausianti savęs, ko būtent ji trokšta ir netrokšta iš savo santuokos, ir garsiai tai išsakysianti Edvardui, tikėdamasi rasti su juo kokį nors kompromisą. Tikrai, ko kiekvienas iš jų geidžia, neturi būti pasiekta kito sąskaita. Svarbiausia — mylėti ir duoti vienas kitam laisvę. Taip, jai reikia išsikalbėti, kaip darydavo tai per repeticijas ir padarysianti dabar. Ji jau turėjo pradmenis pasiūlymo, kurį galėtų pateikti. Jos lūpos prasivėrė, ji įkvėpė oro. Paskui, išgirdusi sugirgždant grindlentę, apsisuko: jis ėjo prie jos šypsodamasis, šiek tiek parausvėjusiu gražiu veidu, ir mintis apie išsilaisvinimą — lyg nė nebūtų šovusi jai į galvą — išnyko.

Jos suknelė povestuvinei kelionei buvo lengva vasarinė, rugiagėlių mėlynumo, puikiai priderinta prie batelių ir atrasta tik daugelį valandų pavaikščiojus tarp Regento gatvės ir Marmurinės arkos — ačiū Dievui, be motinos. Edvardas prisitraukė Floransą į glėbį — ne pabučiuoti, bet pirmiau prispausti ją kūnu prie savojo, o paskui uždėti delną jai ant sprando ir apgraibom paieškoti suknelės užtrauktuko. Kitas jo delnas plokščias tvirtai gulėjo Floransai ant strėnų, ir jis kuždėjo jai į ausį — taip garsiai, taip arti, kad ji tegirdėjo šniokščiant šiltą drėgną orą. Bet užtrauktukas nesidavė atsegamas tik viena ranka — bent ne pirmą colį ar du. Traukiant reikėjo viena ranka laikyti tiesų suknelės viršų, antraip plona medžiaga susiklostys ir užsikabins. Ji būtų turėjusi siekti sau per petį ir pagelbėti, bet rankos buvo suspaustos, o be to, neatrodė teisinga jam parodyti, ką reikia daryti. Užvis labiausiai ji nenorėjo užgauti jo jausmų. Staigiai atsidusęs, jis stipriau timptelėjo užtrauktuką, mėgindamas šį įveikti jėga, bet jau buvo pasiektas taškas, kai tas niekaip neslinko nei žemyn, nei aukštyn. Minutėlę ji liko įstrigusi savo suknelėje.

— O Dieve, Flo. Tik nejudėk, gerai?

Ji klusniai sustingo, pasibaisėjusi jauduliu jo balse, mašinaliai nusprendusi, kad pati dėl to kalta. Šiaip ar taip, tai jos suknelė, jos užtrauktukas. Gal būtų padėję, pagalvojo ji, išsivaduoti iš jo glėbio ir atsukti nugarą, taip pat paėjėti prie lango, kur daugiau šviesos. Bet šitaip galėtų atrodyti nemeilu, o tokiu susitrukdymu tik būtų pripažintas problemos mastas. Namie ji kliaudavosi sese, kurios pirštai buvo miklesni, nors ir pasibaisėtinai grojo pianinu. Jųdviejų motina neturėjo kantrybės su smulkiais daiktais. Vargšas Edvardas — ji juto ant savo pečių jo rankas visas drebant nuo pastangų, kai pasitelkė šias abi, ir įsivaizdavo storus jo pirštus grabinėjant tarp sugnybto audinio raukšlių ir nepasiduodančio metalo. Jai pagailo jo, taip pat šiek tiek jis kėlė ir baimę. Jeigu ką nors net nedrąsiai patartų, galėtų dar labiau jį užsiutinti. Tad ji kantriai stovėjo, kol jis galop suvaitojęs išsilaisvino nuo jos ir žingtelėjo atgal.

Po teisybei, jis atgailavo.

— Tikrai, atleisk man. Kaip nemalonu. Aš toks nevykėlis.

— Mielasis. Man gana dažnai taip pasitaiko.

Juodu nuėjo ir atsisėdo drauge ant lovos. Jis nusišypsojo, šitaip duodamas suprasti, kad ja netiki, bet vertina tokius žodžius. Čia, miegamajame, langai buvo plačiai atdari į tą patį vaizdą: viešbučio veją, miškingą reljefą ir jūrą. Staigus vėjo gūsis ar potvynis, o gal kokio nors praplaukiančio laivo paliktas srautas atnešė kelių viena po kitos lūžtančių bangų garsą, smarkius tėkštelėjimus į krantą. Paskui, taip pat staigiai, bangos liko kaip ir anksčiau — tyliai teliūškavo ir rausėsi per gargždą.

Ji uždėjo ranką jam ant peties.

— Nori sužinoti paslaptį?

— Taip.

Suėmusi smiliumi ir nykščiu už ausies lezgelio, ji švelniai timptelėjo jo galvą į save ir pakuždėjo:

— Tiesą sakant, aš šiek tiek bijausi.

Tai nebuvo labai tikslu, bet nors ir kokia mąstanti, ji niekaip nebūtų galėjusi apibūdinti dabar užplūdusių savo minčių: sauso fizinio smarkaus gūžimosi pojūčio, bendro pasidygėjimo tuo, ką ji gali būti paprašyta daryti, gėdos dėl perspektyvos jį nuvilti ir būti demaskuotai kaip apgavikė. Nekentė savęs, ir kai pakuždėjo jam, pagalvojo, kad žodžiai sušnypštė jai burnoje, lyg būtų tariami scenos piktadario. Bet geriau kalbėti, kad bijosi, negu prisipažinti pasidygėjimą ar gėdą. Privalanti padaryti viską, ką gali, kad pradėtų silpninti jo lūkesčius.

Edvardas stebeilijo į ją, ir iš jo veido nė kiek neatsispindėjo, kad būtų išgirdęs, ką pasakiusi. Net atsidūrusi tokioje sunkioje padėtyje ji žavėjosi švelniomis rusvomis jo akimis. Tokios protingai malonios ir atlaidžios. Jeigu ji žvelgtų vien į jas ir nematytų nieko daugiau, galbūt paprasčiausiai įstengtų išpildyti viską, ko jis paprašytų. Visiškai juo pasitikėtų. Tačiau tai iliuzija.

Pagaliau jis atsakė:

— Manau, ir aš.

Šitaip ištaręs, jis padėjo plaštaką tuoj jai virš kelio ir įsmuko šia toliau, po suknelės kraštu, kol sustojo vidinėje jos šlaunies pusėje, nykščiu vos liesdamas kelnaites. Jos kojos buvo nuogos ir glotnios, parudavusios nuo saulės deginantis sode ir žaidžiant tenisą su senomis mokyklos draugėmis Samertauno viešuosiuose kortuose, taip pat per dvi ilgas iškylas su Edvardu po gėlėtas aukštumas virš dailaus Juelmo bažnytkaimio, kuriame palaidota Čoserio vaikaitė. Juodu toliau žvelgė vienas kitam į akis — abu šitai daryti jau buvo įgudę. Ji tiek suvokė jo prisilytėjimą, šiltą ir lipnų delną, prispaustą prie savo odos, kad tiesiog įsivaizdavo, tiksliau, *matė* ilgą, išlinkusį jo nykštį melsvoje prieblandoje po suknele, gulintį kantriai it kokia apgulos mašina priešais miesto sienas, su gerai nukirptu nagu tik braukančiu kreminės spalvos šilką, pasiraukšlėjusį mažutėlėmis klostėmis palei pat nėriniuotų apsiuvų liniją, ir taip pat liečiančiu — ji buvo tuo tikra, aiškiai juto — atsiskyrusį, laisvai besiraugantį plaukelį.

Floransa iš paskutiniųjų stengėsi, kad raumuo jos šlaunies viduje neįsitemptų, bet tai dėjosi nepriklausomai nuo jos valios, savaime, taip neišvengiamai ir galingai kaip čiaudulys. Neskaudėjo, kai tas išdavikiškas raumens pluoštas nestipriu spazmu susitraukinėjo ir atsileidinėjo, bet ji jautėsi šio apviliama, nes tai buvo pirmas ženklas, kokia didelė jos problema. Edvardas tikrai juto po savo delnu siaučiančią nedidelę audrą, nes jo akys mažumėlę prasiplėtė, o kilstelėję antakiai ir be garso prasivėrusios lūpos rodė, kad jos sąmyšis, klaidingai palaikytas karštu noru, jam padarė įspūdį, net sukėlė baugulį.

— Flo?.. — ištarė jos vardą atsargiai, kylančia intonacija, tartum norėtų ją sutvirtinti ar įtikinti nepasielgti kaip nors skubotai. Bet jam teko tramdyti ir šiokią tokią savo paties audrą. Kvėpavo negiliai ir trūkčiojamai, su tyliu lipniu garsu vis atitraukdamas liežuvį nuo gomurio.

Tiesiog gėda, kaip kartais kūnas nenori ar negali meluoti apie jausmus. Kas dėl padorumo kada nors buvo sulėtinęs savo širdies ritmą ar prislopinęs nuoraudį? Neklusnus jos raumuo po oda krūpčiojo ir virpėjo kaip sugautas drugelis. Panašią bėdą ji turėjo ir dėl akių vokų. Bet galbūt baisus jaudulys jau rimo, dėl to nebuvo ji tikra. Tačiau tai padėjo susitelkti į pagrindinius dalykus, ir apdujusi ji įtikinėjo save, nors ir taip buvo aišku: jo ranka ten, nes jis — jos vyras; leidžianti šiai ten likti, nes ji — jo žmona. Kai kurios jos draugės — Greta, Hermiona, ypač Liusė — jau seniai gulėtų nuogos lovoje ir būtų iki galo paragavusios šios santuokos — triukšmingai, su džiaugsmu — dar gerokai prieš vestuves. Prieraišioms ir kilniaširdėms, joms net atrodė, kad būtent taip jos ir pasielgta. Ji niekada joms nemeluodavo, bet niekada jų ir nepataisydavo, jeigu klysdavo. Mąstydama apie drauges, ji jautė ypatingą, su niekuo nepasidalijamą savo gyvenimo prieskonį: esanti viena.

Edvardo ranka nesistūmė toliau — galbūt jis prarado drąsą dėl to, ką sukėlė — ir tik lengvai virpčiojo vietoje, švelniai maigydama vidinę jos šlaunies pusę. Galimas daiktas, kaip tik todėl traukulys silpo, bet ji nebekreipė į tai dėmesio. Veikiausiai buvo užėjęs atsitiktinai, nes Edvardas tikrai negalėjo to pajusti, savo ranka palpuodamas jos šlaunį. Jo nykščio galiukas spaudėsi į vienišą plaukelį, išsirangiusį iš po kelnaičių, krutino šį pirmyn ir atgal, judino šaknį palei folikulo nervą — vien šešėlis pojūčio, prasidedančio veik nesuvokiamai, tokio be galo menko kaip geometrinis taškas, besiplečiantis į mažutėlę lygiakraštę dėmelę ir toliau vis didėjantis. Ji tuo netikėjo, neigė, nors ir jautėsi grimztanti, vidujai susiriečianti į tai. Kaipgi galėtų vienišo plaukelio šaknis įtraukti visą jos kūną? Nuo pastoviu ritmu glamonėjančių jo rankos judesių vienintelis jutiminis taškelis išplito po jos odos paviršių, per pilvą ir pulsuojamai žemyn į tarpvietę. Jausmas nebuvo visiškai nepažįstamas — kažkas tarp maudulio ir niežulio, bet ramesnis, šiltesnis ir kažkaip tuštesnis — maloniai smelkianti tuštuma, kylanti iš vieno ritmiškai dirginamo folikulo, nuvilnijanti koncentrinėmis bangomis po kūną ir dabar slenkanti giliau į jį.

Pirmą sykį jos meilė Edvardui susisiejo su konkrečiu fiziniu pojūčiu, tokiu nepaneigiamu kaip svaigulys. Anksčiau ji tepažinojo raminamai veikiantį nuoširdžių jausmų, gaubiančių it šilta žiemos antklodė, gerumo ir pasitikėjimo mišinį. To visada atrodė gana, jau savaime tai buvo pasiekimas. Dabar čia pagaliau reiškėsi geismo pradmenys, tiksliai apibrėžti ir svetimi, bet aiškiai nuosavi; ir už to, lyg pakibęs virš ir už jos, veik nematomas — palengvėjimas, kad esanti visai tokia pati kaip ir bet kuri kita. Kai buvo pavėluotai bręstanti keturiolikmetė, įpuolusi į neviltį, kad vis dar panėšėjo į devynmetę milžinę, ji patyrė panašią praregėjimo akimirką tą vakarą, kai stovėdama priešais veidrodį pirmą kartą įžvelgė ir pačiupinėjo naują standų paburkimą sau apie spenelius. Jeigu motina apačioje nebūtų rengusis paskaitai apie Spinozą, Floransa būtų sušukusi iš džiaugsmo. Tai buvo nenuneigiama: ji — ne koks nors atskiras žmonių giminės porūšis. Galima švęsti pergalę — priklausanti daugumai.

Juodu vis nenuleido vienas nuo kito akių. Kalbėti atrodė nė nėra ko bandyti. Floransa bemaž dėjosi, kad nieko nevyksta — kad jo ranka ne po jos suknele, kad savo nykščiu jis nestumdo pirmyn atgal išsikišusio jos gaktos plaukelio ir kad ji nėra bepadaranti svarbaus juslinio atradimo. Už Edvardo galvos vėrėsi dalinis tolimos praeities vaizdas, — atdaros durys į kitą kambarį, valgomasis stalas prie grindis siekiančio lango į balkoną ir netvarka apie jųdviejų nesuvalgytą vakarienę, — bet ji neleido savo žvilgsniui nukrypti, kad visa tai aprėptų. Nepaisant malonaus pojūčio ir palengvėjimo, jai tebeliko baimė — aukšta siena, kurią ne taip lengva sugriauti. Nei ji norėjo, kad ši būtų sugriauta. Kad ir kaip tai nauja, ji nebuvo tokios būsenos, kad padūkusiai nesivaržytų, nei norėjo būti į tokią skubinama. Troško likti šiame plačiame tarpsnyje, šiomis aplinkybėmis, kai abu su visais drabužiais, jausti įremtas į save rusvas akis ir atsargią glamonę, plintantį po kūną virpulį. Bet žinojo, kad tai neįmanoma ir kad, kaip visi sako, viena turi vesti prie kita.

EDVARDO VEIDAS BUVO NEĮPRASTAI PARAUSVĖJĘS, AKIŲ VYZ- džiai prasiplėtę, lūpos tebepraviros, alsavimas toks pats kaip anksčiau: negilus, su pertrūkiais, tankus. Savaitė rengimosi vestuvėms, beprotiško tvardymosi, smarkiai atsiliepė jauno jo organizmo reakcijoms. Štai čia ji priešais, tokia miela ir gyva, o jis nelabai žino, ką daryti. Blėstančioje šviesoje mėlyna su- knelė, kurios nesugebėjo nuvilkti, neryškiai tamsavo ištemptos baltos lovatiesės fone. Kai pirmąsyk palietė jos šlaunies vidų, oda buvo stebėtinai vėsi, ir kažkodėl tai be galo jį sujaudino. Žvelgiant į Floransos akis jam atrodė, kad apsvaigęs tolydžio svyra prie jos. Jautėsi įstrigęs tarp savo jaudulio įtampos ir sle- giančio neišmanymo. Neskaitant filmų, nešvankių juokelių ir palaidų anekdotų, daugiausia, ką jis žinojo apie moteris, paėjo iš pačios Floransos. Perturbacija po jo plaštaka lengvai galėjo būti išsiduodamas ženklas — kiekvienas būtų jam pasakęs, kaip šį atpažinti ir kaip sureaguoti į tokį galbūt savos rūšies moteriško orgazmo pranašą. Lygiai taip pat tai galėjo būti ner- vai. Ką gali žinoti, ir jam palengvėjo, kai tai pradėjo rimti. Jis prisiminė tą kartą didžiuliame javų lauke už Juelmo, kai atsisė- do prie kombaino valdymo prietaisų, pasigyręs fermeriui, kad sugebės susidoroti, o paskui neišdrįso paliesti nė vienos svirties. Paprasčiausiai nepakankamai išmanė. Viena vertus, juk tai ji atsivedė jį į miegamąjį, taip nesivaržydama nusiavė batus, leido jam padėti delną taip arti. Antra vertus, iš ilgos patirties jis žinojo, kaip lengvai skubotas judesys gali sužlugdyti visus šansus. Vėlgi, kol jo ranka liko vietoje, maigydama jos šlaunį, Floransa toliau stebeilijo į jį taip kviečiamai, — ryškūs jos veido bruožai pašvelnėjo, akys susiaurėjo, paskui vėl išsiplėtė, susirasdamos jojo, o dabar galva buvo besvyranti atgal, — kad jo atsargumas tikrai absurdiškas. Taip jam delsti — beprotiška. Juk juodu vedę, dievaži, ir ji drąsina jį, skatina eiti toliau, nekantrauja, kad imtųsi vadovauti. Bet vis tiek jis nepajėgė pabėgti nuo prisiminimų, kai klaidingai suprasdavo ženklus, ir ryškiausias — tas kartas kine, per *Medaus skonio* seansą, kai ji pašoko iš vietos ir nulėkė praėjimu tarp eilių it išgąsdinta gazelė. Šiai vienintelei klaidai ištaisyti prireikė savaičių — tai buvo katastrofa, kurios jis nedrįso pakartoti ir liko skeptiškas dėl to, kad keturiasdešimt penkių minučių sutuoktuvių apeigos galėtų taip iš esmės viską pakeisti.

Oras kambaryje atrodė praretėjęs, nepakankamas, ir reikėjo sąmoningų pastangų, kad galėtum kvėpuoti. Jis sunerimo dėl užėjusio nervinio žiovulio, kurį nuslopino suraukdamas kaktą ir išplėsdamas šnerves — būtų dar blogiau, jeigu ji pamanytų, kad jis nuobodžiauja. Jam buvo baisiai skaudu, kad jųdviejų vestuvių naktis ne tokia paprasta, kai meilė tokia akivaizdi. Laikė savąją jaudulio būseną, neišmanymą ir ryžto stoką pavojingais, nes nepasitikėjo savimi. Galėtų pasielgti kvailai, net pernelyg audringai. Universiteto draugai jį pažinojo kaip vieną iš tų ramesniųjų, kartais linkusių į smarkius protrūkius. Pasak tėvo, ankstyvoji jo vaikystė pasižymėjo įspūdingais kaprizų priepuoliais. Mokyklos metais iki pat koledžo jį kartkartėmis traukdavo nežabota kumštynių laisvė. Nuo mokyklos kiemo peštynių, apie kurias skanduojantys it laukiniai vaikiščiai sudarydavo žiūrovų ratą, iki rimtų susitikimų miško laukymėje netoli gyvenvietės pakraščio ir begėdiškų muštynių išėjus iš aludžių Londono centre, Edvardas tokiuose susidūrimuose matydavo jaudinamą nenuspėjamumą ir atrasdavo spontanišką, ryžtingą savąjį aš, kuris šiaip kitoje ramioje jo egzistencijoje likdavo nesuvokiamas. Jis niekada neieškodavo tokių situacijų, bet kai šios iškildavo, kai kuriems jų aspektams — patyčioms, tiems atvejams, kai tekdavo suturėti draugus, sąskaitų suvedinėjimams, itin papiktinamam savo priešininko elgesiui — būdavo neįmanoma atsispirti. Jį ištikdavo kažkas panašaus į akipločio susiaurėjimą ir kurtumą, ir tada staiga jis vėl atsidurdavo ten — įžengdavo į pamirštą malonumą, tartum išeidavo į atsikartojantį sapną. Kaip per studentiškas išgertuves, skausmas ateidavo vėliau. Jis nebuvo koks nors puikus kumštininkas, bet turėjo pravarčią fizinio beatodairiškumo dovaną ir gerai pataikydamas sugebėdavo išnaudoti savo pranašumą. Be to, buvo stiprus.

Floransa niekada nebuvo mačiusi šio jo šėlsmo savybės, ir jis neketino jai apie tai kalbėti. Nesimušė jau pusantrų metų, nuo 1961-ųjų sausio, antrojo savo paskutinio kurso semestro. Kova buvo nelygi ir neįprasta tuo, kad Edvardas savo pusėje turėjo šiokią tokią priežastį, tam tikrą teisumą. Jis kartu su kitu trečiakursiu istorijos studentu Haroldu Meteriu žingsniavo Senąja Komptono gatve „Prancūzų aludės" Dekano gatvėje link. Buvo ankstyvas vakaras, ir juodu, ką tik išėję iš bibliotekos Meileto gatvėje, traukė susitikti su draugais. Klasikinėje vidurinėje mokykloje, kurioje mokėsi Edvardas, Meteris būtų buvęs puiki auka — žemas, vos penkių pėdų ir penkių colių ūgio, ant komiškai suspaustų bruožų veido nešiojo storų lęšių akinius ir buvo siutinamai kalbus ir protingas. Tačiau universitete jis klestėjo, buvo iškili asmenybė. Turėjo sukaupęs nemažą džiazo įrašų kolekciją, redagavo literatūrinį žurnalą, galėjo pasigirti priimtu (nors dar neišspausdintu) į *Encounter* žurnalą trumpu apsakymu, buvo triukšmingas oficialiuose studentų sąjungos debatuose ir geras mėgdžiotojas — vaizduodavo Makmilaną, Geitskelą, Kenedį, Chruščiovą apsimestine rusų kalba, taip pat įvairius Afrikos lyderius ir aktorius komikus kaip Alas Redas ir Tonis Hankokas. Jis gebėjo atgaminti visus balsus ir skečus iš *Už pakraščio** ir buvo pripažintas pačiu geriausiu istorijos grupės studentu. Edvardas laikė savo gyvenimo pažanga, naujos brandos įrodymu, kad vertino draugystę su žmogumi, kurio kadaise būtų stengęsis vengti.

Tuo metu, žiemos šiokiadienio vakarą, Soho buvo vos tik beatgyjąs. Aludės perpildytos, bet klubai dar neatsidarę, šaligatviai neužtvindyti žmonių. Nesunku buvo pastebėti Senąja Komptono gatve žengiančią jų link porą. Abu buvo rokeriai:

---

* Angl. *Beyond the Fringe* — scenos reviu, parašytas ir vaidintas Piterio Kuko (*Peter Cook*) ir kitų žinomų aktorių praeito amžiaus septintojo dešimtmečio pradžioje Londono Vest Ende.

jis — stambus vyriokas, įpusėjęs trečią dešimtį, ilgomis žandenomis, nusagstyta metaliniais spraustukais odine striuke, aptemptais džinsais ir aulinukais; vienodai apsirengusi buvo ir apkūni draugužė, įsikibusi jam į parankę. Prasilenkiant vyriškis nė kiek nesulėtindamas žingsnių užsimojo ranka ir plokščiu delnu stipriai trenkė Materiui į pakaušį. Nuo smūgio vaikinas susvirduliavo, jo akiniai nusklendė per šaligatvį. Toks veiksmas reiškė atsainią panieką Meterio ūgiui ir studentiškai išvaizdai ar tam, kad atrodė — ir buvo — žydas. Galbūt norėta padaryti merginai įspūdį ar ją pralinksminti. Edvardas nestabtelėjo apie tai pagalvoti. Nužirgliodamas paskui porą, išgirdo Haroldą sušunkant kažką panašaus į „ne" ar „nereikia", bet maldavimas nuskambėjo kaip tik toks, kuriam dabar jis buvo kurčias. Vėl sugrįžo į tą sapną. Jam būtų buvę sunku apibūdinti savo būseną: pyktis savaime sukilo ir pamažu perėjo į kažkokią ekstazę. Dešiniąja ranka sugriebęs vyriškį už peties, Edvardas apsuko jį ir kairiąja suėmęs už gerklės prirėmė prie sienos. Vyriškio galva kaip reikiant dunkstelėjo į ketinį pastato kanalizacijos vamzdį. Tebenutvėręs už gerklės, Edvardas smogė jam į veidą — tik sykį, bet labai smarkiai, sugniaužtu kumščiu. Paskui sugrįžo atgal padėti Meteriui susirasti akinius. Šių vienas lęšis buvo įskilęs. Juodu nuėjo, palikę vyrioką sėdintį ant grindinio, abiem delnais užsidengusį veidą, o jo draugužė bruzdėjo aplinkui.

Per vakarą Edvardui prireikė šiek tiek laiko, kol sumojo Haroldą Meterį nejaučiant jam dėkingumo, o paskui šio tylėjimą arba tylėjimą jo atžvilgiu net dar ilgiau — dienos ar dviejų, ir tik tada suprato, kad jo draugas ne tik nepritarė, bet dar blogiau — jautėsi nesmagiai. Aludėje nė katras iš jų nepapasakojo apie nutikimą savo draugams, ir po to Meteris niekada daugiau su Edvardu apie tą incidentą nekalbėjo. Priekaištai būtų suteikę palengvėjimą. Kad ir ne pernelyg demonstratyviai, bet Meteris nuo jo pasitraukė. Nors juodu matydavosi draugijose ir šis niekada nesilaikė Edvardo atžvilgiu akivaizdžiai šaltai, draugystė niekada nebebuvo tokia pati. Edvardas kankinosi svarstydamas, kad iš tikrųjų Meterį jo elgesys atstūmė, bet jis nedrįso liesti tos temos. Be to, Meteris pasistengdavo, kad juodu niekada nebūtų vieni drauge. Iš pradžių Edvardas manė, kad suklydo užgaudamas Meterio savigarbą, tapdamas šio pažeminimo liudininku, o paskui dar viską pablogino, veikdamas kaip draugo gynėjas, pademonstruodamas, kad yra kietas, o Meteris — pažeidžiamas silpnuolis. Vėliau Edvardas suprato, kad jis pasielgė paprasčiausiai nešauniai, ir gėda dar labiau sustiprėjo. Gatvės muštynės nesiderina su poezija ir ironija, su bibopu ar istorija. Jis buvo kaltas dėl skonio stokos. Nebuvo toks žmogus, kokiu save laikė. Tai, ką tikėjo esant įdomia keistybe, šiurkščia būdo savybe, virto vulgarumu. Jis — kaimo bernas, provincialus idiotas, manęs, kad smūgis plikais krumpliais galėtų padaryti įspūdį draugui. Toks naujas požiūris į save žemino. Taigi jis žengė vieną iš tų žingsnių į priekį, būdingų ankstyvai pilnametystei: atrado, kad esama naujų vertybių, pagal kurias norėtų, jog apie jį būtų sprendžiama. Nuo to laiko Edvardas vengė muštynių.

Bet dabar, savo vedybų naktį, jis nebepasitikėjo savimi. Negalėjo būti tikras, kad susiaurėjęs akiplotis ir selektyvus kurtumas niekada vėl jo neištiks, neapgaubs kaip žiemiška migla Tervil Hite, užtemdydama naujesnį, sudėtingesnį jo savąjį aš. Sėdėjo šalia Floransos, ranką pakišęs jai po suknele, glostydamas jos šlaunį ilgiau nei pusantros minutės. Kankinantis geismas netveriamai tolydžio stiprėjo, ir jis išsigando laukinio savo nekantrumo ir smarkių žodžių ar veiksmų, kuriuos galėtų šis išprovokuoti, o tada — vakaras baigtas. Jis mylėjo ją, bet norėjo supurtyti ir pažadinti arba ištrenkti iš tos pozos tiesia nugara kaip prie natų pulto, iš tų šiaurinio Oksfordo padorumo taisyklių, kurių Floransa atkakliai laikėsi, ir priversti pamatyti, kaip iš tikrųjų tai paprasta: šit neribota kūniška laisvė, tereikia ja pasinaudoti, net palaiminta vikaro, — *savo kūnu aš tave garbinu*, — begėdiška, džiaugsminga laisvė susipynus nuogoms galūnėms, kylanti jo vaizduotėje it didžiulė erdvi katedra, galbūt apgriuvusi, be stogo, skliautais vėduokle besi-skleidžiančiais į dangų, kur juodu nesvarumo būsenos, stipriai apsikabinę sklęstų aukštyn ir turėtų vienas kitą, paskandintų vienas kitą kvapą gniaužiančioje, beprotiškoje ekstazėje. Juk taip tai paprasta! Kodėl dabar juodu ne ten aukštai, užuot sėdėję čia, varžomi visų tų dalykų, kurių nežino kaip pasakyti ar nedrįsta daryti?

Ir kas gi stovėjo jiedviem skersai kelio? Abiejų individualybės ir praeitys, neišmanymas ir baimė, drovumas, bodėjimasis, tikrumo dėl teisės į *tai*, patirties ar natūralaus elgesio stoka, paskui — religinių draudimų pasekmės, jųdviejų tipiškai angliškas būdas ir visuomeninė klasė, taip pat ir pati istorija. Vieni niekai. Jis ištraukė iš po suknelės ranką, priglaudė Floransą prie savęs ir pabučiavo į lūpas, — kiek pajėgdamas santūriau, suturėdamas liežuvį. Pamažėle nulenkė ją aukštielninką skersai lovos galva sau ant rankos kaip ant pagalvėlės. Paskui atsigulė šonu greta ir remdamasis tos pačios rankos alkūne žvelgė į ją. Jiedviem sujudėjus, lova graudžiai sugirgždėjo, lyg prisimindama kitas per ją perėjusias medaus mėnesio poreles, visas tikrai kur kas išmanesnes. Jis nuslopino staiga apėmusį norą nusijuokti iš minties apie anas — iškilmingą eilę, nusidriekiančią pro duris į koridorių, žemyn į svečių registratūrą, atgalios per laiką. Svarbu apie jas negalvoti; komizmas — erotikos nuodas. Taip pat jam teko nuvyti mintį, kad galbūt ji bijosi jo. Jeigu jis taip manytų, nieko neišeitų. Ji klusniai gulėjo jo rankose, vis remdamasi su juo akimis, negyvu ir sunkiai išskaitomu veidu. Kvėpavo ritmingai ir giliai, lyg miegotų. Jis sukuždėjo jos vardą ir pakartojo, kad myli, o ji sumirksėjo ir pravėrė lūpas, galbūt šitaip parodydama sutinkanti ar atsiliepianti tuo pačiu. Laisvąja ranka jis pradėjo jai smaukti žemyn kelnaites. Floransa įsitempė, bet nesipriešino ir kilstelėjo ar pusiau kilstelėjo sėdmenimis nuo lovos. Vėlgi liūdnas čiužinio spyruoklių ar lovos rėmo garsas, lyg subliautų pavasario avytė. Nors ir su visiškai ištiesta laisvąja ranka, neįmanoma buvo vienu metu laikyti šią kaip pagalvėlę Floransos galvai ir nukabinti kelnaites jai per kelius ir toliau apie čiurnas. Ji pagelbėjo jam, sulenkdama kelius. Geras ženklas. Jis nedrįso ryžtis dar vienai pastangai su jos suknelės užtrauktu, tad kol kas liemenėlė — šviesiai melsvo šilko su dailiais nėrinių apvadėliais, taip buvo suspėjęs jis pamatyti — turės irgi likti vietoje. Tai tiek iš to besvorio glėbio persipynus galūnėmis. Bet ji buvo graži ir tokia — gulinti jam ant rankos, suknele sugarankščiuota aukštyn apie šlaunis, susitaršiusių plaukų sruogomis, išdrikusiomis skersai lovatiesės. Saulės karalienė*. Jiedu vėl pasibučiavo. Jį tiesiog pykino nuo geismo ir neryžtingumo. Pamėginus nusirengti, tektų sutrikdyti tokią daug žadančią jųdviejų kūnų padėtį ir rizikuoti nutraukti kerus. Nežymi permaina, mažučių aplinkybių derinys, menkiausias abejonės dvelksmas, ir ji galėtų persigalvoti. Bet jis buvo tvirtai įsitikinęs, kad pasimylėti — dargi pirmąjį sykį — vien prasegant antuką — neseksualu ir vulgaru. Be to, nemandagu.

Po kelių minučių jis išsmuko nuo jos šono, skubiai nusirengė prie lango, vertingą zoną apie lovą palikdamas nepaliestą tokios banalybės. Žengdamas batų kulnais, nusiavė šiuos ir užkabinęs nykščiais greitai nusistūmė kojines. Pastebėjo, kad ji nežiūri į jį, bet guli nukreipusi akis tiesiai aukštyn, į įdubusį baldakimą virš savęs. Per kelias sekundes jis jau buvo nuogas, neskaitant marškinių, kaklaraiščio ir laikrodžio ant rankos. Marškiniai, dalinai slepiantys, dalinai pabrėžiantys jo erekciją kaip skraiste uždengtą viešą monumentą, tartum savaime mandagiai pripažino aprangos kodą, nustatytą jos suknelės. Kaklaraištis aiškiai buvo kvaila, ir eidamas atgal prie jos Edvardas viena ranka nusiplėšė jį, o kita atsisegė viršutinę sagą. Judesys buvo it savimi pasitikinčio pasipūtėlio, ir mirksnį jam grįžo kadaise turėta nuomonė apie save kaip netašytą, tačiau iš

* Šitaip vadinta Senovės Egipto valdovė Nefertitė.

esmės padorų vaikiną, o paskui išblėso. Jį tebetrikdė Haroldo Meterio šešėlis.

FLORANSA NUSPRENDĖ NEATSISĖSTI, NET NEKEISTI SAVO PA-dėties; gulėjo aukštielninka, spoksodama aukštyn į biskvito spalvos klostytą audinį, prilaikomą stulpelių, kuriais ketinta, kaip ji spėjo, prišaukti į vaizduotę senąją akmens šaltumo pilių ir riteriškos meilės Angliją. Ji susitelkė į nelygiai išaustą medžiagą, į žalią monetos dydžio dėmę — kaip ji ten atsirado? — ir į nukarusį siūlą, judantį nuo oro srovių. Stengėsi negalvoti apie artimiausią ateitį ar apie praeitį ir įsivaizdavo save besikabinančią į šią akimirką, brangią dabartį, it virve neprisirišęs alpinistas į stataus skardžio sieną, tvirtai besispaudžiantis veidu prie uolos, nedrįstantis pajudėti. Vėsus oras maloniai pleveno plikomis jos kojomis. Ji klausėsi tolimos bangų mūšos, žuvėdrų klykavimo ir nusirengiančio Edvardo drabužių šlamesio. Šiaip ar taip, čionai sugrįžo praeitis, kurią prišaukė jūros kvapas. Ji — dvylikametė, gulinti ramiai kaip dabar, laukianti ir drebanti siauroje lovelėje poliruoto raudonmedžio šonais. Po dviejų dienų kelionės jūra juodu vėl Karterė uosto, piečiau Šerbūro, ramumoje. Vėlus vakaras, jos tėvas juda po blausią tamsią kajutę ir nusirenginėja kaip dabar Edvardas. Ji prisiminė šiugždant drabužius, dzingtelint atsegamą diržo sagtį ar raktus, o gal palaidus smulkiuosius. Svarbiausia jai buvo gulėti užsimerkus ir mąstyti apie mėgstamą melodiją. Arba apie bet kokią melodiją. Prisiminė salsvą sugedusio maisto kvapą troškiame burlaivio kajutės ore po kelionės audringa jūra. Plaukiant per sąsiaurį ją paprastai daug sykių pykindavo, tad tėvui iš jos, kaip jūreivio, nebūdavo jokios naudos, ir tikriausiai dėl to Floransa jausdavo gėdą.

Bet ir negalėjo nemąstyti apie artimiausią savo ateitį. Vylėsi, kad ir kas turėtų atsitikti, ji atgaus bent kiek to plintančio malonaus pojūčio, kad šis stiprės ir ją užvaldys, taps jos baimių malšintoju ir išgelbės nuo gėdos. Tačiau tai atrodė mažai tikėtina. Tikras prisiminimas apie tą jausmą, apie tai, kaip buvo šio viduje, kaip patyrė, koks šis iš tikrųjų yra, jau sunyko iki sauso istorinio fakto. Tai atsitiko tik kartą — kaip Hastingso mūšis*. Ir vis dėlto tas prisiminimas buvo vienintelis jos šansas ir todėl toks brangus kaip trapus senovinis krištolas, lengvai išsprūstantis iš rankų, taigi tai dar viena gera priežastis nejudėti.

Ji pajuto lovą įlinkstant ir sudrebant: įlipo Edvardas, ir jos regėjimo lauką vietoje baldakimo užpildė jo veidas. Floransa paslaugiai kilstelėjo galvą, kad jis galėtų vėl prakišti ranką kaip pagalvę. Visu kūno ilgiu jis tvirtai prisispaudė ją prie savęs. Jai matėsi jo šnervių tamsuma ir vienišas sulinkęs plaukelis kairiojoje, stovintis kaip koks pasilenkęs priešais olą žmogus, virpčiojantis sulig kiekvienu iškvėpimu. Jai patiko viršutinės jo lūpos įlinkio apybrėžos, savo pavidalu primenančios emblemą. Į dešinę nuo panosės vagelės rausvavo dėmelė, mažutėlė it

---

* Šis mūšis (1066 10 14) buvo lemiama normanų pergalė, jiems nukariaujant Angliją.

smeigtuko dūris — spuogelio pradžia ar nykstantys jo pėdsakai. Sau prie šlaunies ji juto jo erekciją — kietą it šluotkotis ir tvinksinčią. Savo nuostabai, Floransa nebuvo taip labai prieš. Tik ji nenorėjo to pamatyti, kol kas dar ne.

Idant sutvirtintų jų susijungimą, jis nulenkė galvą, ir jiedu pasibučiavo; jo liežuvis vos lietė galiuką josios, ir vėl Floransa buvo dėkinga. Suvokdami tylą iš baro apačioje — nei radijo, nei pokalbių — abu vis kuždėjo vienas kitam „aš myliu tave". Ją ramino pasitelkti, kad ir kaip tyliai, neblėstančią formulę, jungiančią juodu ir tikriausiai įrodančią, kad abu siekia to paties. Pagalvojo, kad galbūt kaip nors tai ištvers ir bus pakankamai tvirta įtikinamai apsimetinėti ir paskui vėliau, kitais kartais, apmažinti savąsias nerimastis grynai per familiarumą, kol ji galės atvirai patirti ir teikti malonumą. Jam nereikia nieko žinoti, bent kol ji įgavusi pasitikėjimo nepapasakos to kaip juokingos istorijos — apie tada anksčiau, kai buvo neišmanėlė mergina, nelaiminga dėl savo kvailų baimių. Netgi dabar nebuvo priešiškai nusiteikusi, kad jis liestų jai krūtis, nors kadaise būtų atsitraukusi iš pasibaisėjimo. Čia švietė jai viltis, tad su šia mintimi prisislinko arčiau jo krūtinės. Jis su marškiniais, spėjo ji, mat savo kontraceptikus turi viršutinėje kišenėlėje, lengvai pasiekiamus. Jo ranka keliavo visu jos kūno ilgiu, traukdama aukštyn suknios kraštą iki juosmens. Edvardas visada būdavo santūrus su merginomis, bet ji neabejojo turtinga jo patirtimi. Juto šiltą vasaros orą pro atdarą langą kutenant jai apnuogintus gaktos plaukelius. Buvo jau toli nužengusi į naują sritį — pernelyg toli, kad būtų įmanoma sugrįžti atgal.

Niekada Floransai neatėjo į galvą, kad parengiamieji meilės žaidimai vyks nebyliu spektakliu, tokioje gilioje ir atsargioje tyloje. Bet be tų trijų akivaizdžių žodžių, ką dar galėtų ji pasakyti, kas nenuskambėtų dirbtinai ar kvailai? Ir kadangi jis tylėjo, ji manė, kad taip ir yra priimta. Jai būtų labiau patikę, jeigu jiedu murmėtų kvailas meilybes kaip tuomet, kai gulinėdavo jos miegamajame, šiauriniame Oksforde, su visais drabužiais, tuščiai stumdami popietes. Floransai reikėjo jaustis arti jo, kad pajėgtų sutramdyti panikos velnią, kuris, žinojo, tuoj ją užvaldys. Turėjo žinoti, kad jis yra su ja, jos pusėje, ir neketina ja pasinaudoti, kad jis — jos draugas, geras ir švelnus. Antraip viskas galėtų pakrypti blogai, labai į šalį. Buvo priklausoma nuo jo dėl šio tikrumo, ne tik dėl meilės, ir galiausiai nesusiturėjo kvailai nepaskatinusi:

— Pasakyk man ką nors.

Viena betarpiška ir maloni pasekmė buvo ta, kad jo ranka staigiai sustojo, netoli nuo ten, kur buvo anksčiau, keli coliai žemiau jos bambos. Jis išpūtė į ją akis nežymiai virpančiomis lūpomis — galbūt nervai ar begimstanti šypsena, arba į žodžius susiformuojanti mintis.

Jos palengvėjimui, jis atsiliepė į paraginimą ir griebėsi jau pažįstamo kvailumo žanro, iškilmingai pareikšdamas:

— Tavo mielas veidas ir graži prigimtis, seksualios alkūnės ir kulkšnys, ir raktikaulis, protas ir vibrato, kuriais turėtų žavėtis visi vyrai, bet tu visa priklausai man, ir aš labai tuo džiaugiuosi ir didžiuojuosi.

— Puiku, — atsakė ji, — gali pabučiuoti mano vibrato.

Jis paėmė kairę jos plaštaką ir įniko paeiliui čiulpti pirštų galiukus ir ten lytėjo liežuviu smuikininko nuospaudas. Juodu pasibučiavo, ir kaip tik šią reliatyvaus Floransos optimizmo akimirką ji pajuto visas jo rankas įsitempiant — ir staiga vienu mikliu atletišku judesiu jis užsirito ant jos, ir nors svoriu daugiausia rėmėsi į alkūnes ir dilbius, padėtus jai abipus galvos, Floransa liko prispausta ir bejėgė, ir po jo mase šiek tiek stokojanti kvapo. Ji nusivylė, kad jis vėl nebeglostė jos gaktos srities ir nesužadino to keisto ir plintančio malonumo. Bet artimiausias jos rūpestis — palengvinęs pasidygėjimą ar baimę — buvo laikytis deramai, neapvilti Edvardo ir nepažeminti savęs arba nepasirodyti prastu pasirinkimu iš visų jo pažinotų moterų. Ištversianti tai. Niekada neleis jam sužinoti, kokia tai buvo kova, kiek jai kainavo dėtis ramiai. Nieko kita netroško, kaip tik įtikti jam ir padaryti šią naktį nusisekusia, ir nieko kita nejuto, kaip tik jo penio galą, keistai vėsų, vis baksnojantį ir bumbsintį į ir aplinkui jos šlaplę. Paniką ir pasidygėjimą galima sutramdyti, mąstė ji, juk mylinti Edvardą, ir visos jos mintys buvo nukreiptos padėti jam gauti tai, ko taip labai geidė, ir kad jis mylėtų ją dar labiau. Kaip tik šitaip jai nusiteikus, nuslydo dešine ranka tarp jo ir savo slėpsnų. Jis šiek tiek pasikėlė, leisdamas jai prasmukti. Buvo patenkinta savimi, prisiminusi raudonajame vadovėlyje skaitytą patarimą, kad nuotakai visiškai priimtina „pamokyti vyrą patekti vidun".

Pirmiausia ji apčiuopė jo sėklides ir dabar visai nebesibijodama švelniai apglėbė pirštais tą nepaprastai styrantį daiktą, kurį įvairiais pavidalais buvo mačiusi pas šunis ir arklius, bet nelabai tikėdavo, kad šis patogiai galėtų pritapti suaugusiems žmonėms. Slinkdama pirštais apatine puse, ji pasiekė penio šaknį, kurią laikė itin atsargiai, nes nenumanė, kokia jautri ar tvirta ta yra. Paskui perbraukė pirštais visu jo ilgiu, su įdomumu pastebėdama šilkinę tekstūrą iki pat galiuko, kurį lengvai paglostė; paskui, nustebinta savosios drąsos, šiek tiek pasislinko atgal, tvirtai suimdama jo penį maždaug per pusę ir patempė žemyn — tik nežymiai pataisė, kol pajuto šį vos liečiant jos lytines lūpas.

Kaip galėjo ji žinoti, kokią baisią klaidą daro? Ar patempė jį ne už tos vietos? Ar sugniaužė per smarkiai? Jis suvaitojo — sudėtinga virtine kankinamų, kylančių balsių, tokiu garsu, kokį jį sykį girdėjo kažkokioje kino komedijoje, kurioje padavėjas, vingiuodamas tarp staliukų, atrodė, tuoj numes stirtą sukrautų viena ant kitos sriubos lėkščių.

Pasibaisėjusi ji nieko nebedarė, kai Edvardas sumišusiu žvilgsniu, spazmiškai išriesta nugara, išsiliejo ant jos galingais, bet tolydžio silpstančiais pliūpsniais, užpildydamas jai bambą, aptaškydamas pilvą, šlaunis ir net iš dalies smakrą bei kelių girneles drungnu lipniu skysčiu. Katastrofa, ir Floransa iškart suprato, kad visa tai — jos kaltė, kad esanti nemokša, tamsuolė ir kvaila. Neturėjo imtis iniciatyvos, jokiu būdu neturėjo kliautis vadovėliu. Jeigu būtų plyšusi Edvardo jungo vena, nebūtų atrodę baisiau. Kaip tipiška iš jos — pernelyg savimi pasitikinčios — kištis į baisiai sudėtingus dalykus; privalėjusi pakankamai gerai žinoti, kad toks jos elgesys kaip per styginių kvarteto repeticijas čia visai netinkamas.

Ir pasireiškė dar kai kas — savaip blogesnio ir nekontro-
liuojamo, prišaukiančio prisiminimus, kurie — ji seniai buvo
nusprendusi — iš tikrųjų nebuvo jos. Vos prieš pusę minutės
ji didžiavosi valdanti savo jausmus ir atrodanti rami. Bet dabar
nebepajėgė nuslopinti pirmykščio pasišlykštėjimo, instink-
tyvaus siaubo, kad buvo užpilta skysčiais, glitėsiais iš kito
žmogaus kūno. Per kelias sekundes, nuo jūros dvelkiant brizui,
šie jai ant odos atšalo it ledas ir tačiau, visai kaip pati žinojo
būsiant, tartum tvilkė ją. Niekas jos prigimtyje nebūtų pajė-
gęs suturėti akimirksniu išsiveržusio pasibjaurėjimo šūksnio.
Jusdama upeliukais tai šliaužiant oda, tą svetimą pieniškumą,
intymų krakmolo kvapą, kuris kartu su savimi vilko įkalintos
sudususioje ankštumoje gėdingos paslapties tvaiką, ji nie-
ko negalėjo sau padaryti — privalėjo nuo to išsivaduoti. Kol
Edvardas dar gūžėsi priešais ją, Floransa nusisuko ir persivertė
ropomis, pasičiupo iš po lovatiesės pagalvę ir kaip paklaikusi
suskato šia šluostytis. Dar šitaip darydama žinojo, kaip bjauriai,
kaip neišauklėtai elgiasi, kaip dar labiau tai turėtų sustiprinti
Edvardo nepatogumą, matant ją žūtbūt stengiantis pašalinti
nuo savo odos šią jo dalį. Ir, tiesą sakant, nebuvo taip lengva.
Besivalant tai tvirtai laikėsi prie jos ir vietomis jau džiūvo į
skilinėjantį glaistą. Floransa jautėsi lyg susidvejinusi — į vie-
ną, kuri suirzusi nusviedė ant grindų pagalvę, ir tą kitą, kuri
tik žiūrėjo ir nekentė savęs už tai. Sunku buvo tverti, kad jis
stebėtų ją — nemalonią isterišką moterį, kurią per savo kvai-
lumą vedė. Galėtų jo nekęsti dėl to, ką dabar mato ir niekada
nepamirš. Privalėjo nuo jo pabėgti.

Pagauta pašėlusio pykčio ir gėdos, ji pašoko nuo lovos. Ir vis dėlto ta antroji, stebinčioji, jos pusė tartum sakė jai ramiai, bet ne visai žodžiais: *Betgi kaip tik šitaip ir būna, kai esi išprotėjusi.* Ji negalėjo pakelti į jį akių. Buvo kankynė likti kambaryje su kažkuo, kuris pažįsta ją tokią. Pasičiupusi nuo grindų batus, ji išbėgo per svetainę, pro jųdviejų vakarienės likučius į koridorių, paskui pasinešė žemyn laiptais, laukan pro paradines duris, aplinkui viešbučio šoną ir skersai samanotą veją. Ir net kai pagaliau pasiekė pakrantę, nesiliovė bėgusi.

KETVIRTAS

P ER TUOS TRUMPUS METUS NUO SAVO PIRMO SUSITIKIMO
su Floransa Sent Džailso gatvėje iki jųdviejų vestuvių
Šventosios Marijos bažnyčioje vos už pusės mylios nuo ten
Edvardas buvo dažnas svečias didelėje karalienės Viktorijos
laikų stiliaus viloje šalia Banberio kelio, kur ir pernakvodavo.
Violeta Ponting paskyrė jam tai, ką šeima vadino „mažuoju
kambariu" viršutiniame aukšte, prideramai toli nuo Floransos,
su vaizdu į siena aptvertą šimto jardų ilgio sodą, o už šio — į
teritoriją, priklausančią koledžui ar senelių prieglaudai, Edvar-
das taip ir nepasivargino išsiaiškinti kam. „Mažasis kambarys"
buvo didesnis nei bet kuris iš miegamųjų Tervil Hito namuke,
galbūt didesnis ir už šio svetainę. Vieną sieną užėmė papras-
tos baltai nudažytos lentynos su „Loeb"* leidiniais lotynų ir
graikų kalbomis. Edvardas mėgo tokių rimtų veikalų bendriją,
nors žinojo, kad nieko neapgauna, palikdamas ant naktinio
stalelio prie savo lovos Epikteto ir Strabono egzempliorius.
Kaip ir visur kitur šiuose namuose, jo kambario sienos eg-

* *James Loeb* — sumanytojas ir iš pradžių fundatorius „Klasikinės bibliotekos" (*Clas-
sical Library*) serijos, kurioje pateikiami svarbiausi senovės graikų ir lotynų veikalai taip, kad
būtų prieinami kuo platesniam skaitytojų ratui. Šią seriją dabar leidžia „Harvard University
Press" leidykla.

zotiškai buvo nudažytos baltai, — Pontingų valdose niekur nebuvo nė mažiausio tapetų, gėlėtų ar dryžuotų, lopinėlio, — grindys plikos, iš neapdorotų lentų. Viršutinį aukštą jis turėjo sau vienam, su erdviu vonios kambariu ties tarpine laiptų aikštele, karalienės Viktorijos laikų stiliaus spalvoto stiklo langais ir lakuotų kamščiamedžio plytelių grindimis — dar viena naujovė.

Jo lova buvo plati ir neįprastai kieta. Kampe, po stogo šlaitu, stovėjo nubrūžintas pušinis rašomasis stalas su sukiojamąja lempa ir virtuvinė, mėlynai nudažyta kėdė. Nei paveikslų, nei kilimų ar pagražinimų, nei sukarpytų žurnalų, nei kokių nors kitų pomėgių ar sumanymų pėdsakų. Pirmą sykį gyvenime jis pasistengė būti bent iš dalies tvarkingas, nes šis kambarys buvo nepanašus nė į vieną kitą kada nors jo pažinotą, toks, kuriame buvo galima išlaikyti ramybę, nesujauktas mintis. Kaip tik čionai vieną spindintį lapkričio vidurnaktį Edvardas parašė oficialų laišką Violetai ir Džefriui Pontingams, pareikšdamas savo siekį vesti judviejų dukterį, ir ne tiek prašė jų sutikimo, kiek tikrai tikėjosi juos pritarsiant.

Jis neklydo. Jie buvo sužavėti ir pažymėjo sužadėtuves vieną sekmadienį šeimyniniais priešpiečiais „Randolph" viešbutyje. Edvardas per mažai išmanė apie gyvenimą, kad nusistebėtų savo mielu priėmimu į Pontingų namus. Mandagiai manė, kad kaip pastovus Floransos vaikinas, o paskui sužadėtinis, esąs to nusipelnęs: jog kai atkeliaudavo pakeleivinga mašina ar traukiniu iš Henlio į Oksfordą, kambarys visada jam būdavo paruoštas, visada laukdavo valgiai, prie kurių būdavo prašomas išsakyti savo nuomonę apie valdžią ir pasaulinę padėtį, jog galės pasinaudoti biblioteka ir sodu su ten esančiu kroketu ir nužymėta badmintono aikštele. Jautėsi dėkingas, bet nė kiek nenustebęs, kai jo baltiniai buvo prijungti prie kitų šeimos skalbinių ir tvarkinga jų išlygintų krūvelė atsirasdavo ant apkloto jo lovos kojūgalyje — per namų tvarkytojos, ateinančios kiekvieną šiokiadienį, malonę.

Atrodė taip ir pridera, kad Džefris Pontingas žaistų su juo tenisą Samertauno žolės kortuose. Edvardas buvo nekoks žaidėjas — išnaudodamas savo ūgį turėjo pakenčiamą padavimą ir kartais sugebėdavo stipriai smūgiuoti nuo galinės linijos. Bet prie tinklo elgdavosi nerangiai ir kvailai, taip pat negalėjo pasitikėti neklusniu kairiniu smūgiu, verčiau pasirinkdamas apibėgti kamuoliukus iš kairės. Tad šiek tiek baiminosi savo draugės tėvo, nerimaudamas, kad Džefris Pontingas laiko jį įsibrovėliu, apsimetėliu, vagimi, besikėsinančiu atimti iš jo dukros nekaltybę, o paskui prašapti — tik viena pastarosios prielaidos dalis buvo tiesa. Jiedviem pirmą kartą važiuojant į kortus, Edvardas taip pat nerimavo ir dėl žaidimo — būtų nemandagu laimėti, ir būtų visiškai tuščia laiko gaišatis jį priimančiam šeimininkui, jeigu Edvardas nesugebėtų bent kiek padoriau pasipriešinti. Nei dėl viena, nei dėl kita jam nereikėjo rūpintis. Pontingas buvo kitos klasės žaidėjas, greitų ir tikslių smūgių ir kaip penkiasdešimtmetis stebėtinai vikriai lakstantis po aikštelę. Pirmą setą jis laimėjo šeši-vienas, antrą — šeši-nulis, trečią — vėl šeši-vienas, bet užvis buvo svarbiausia jo įniršis, kai Edvardui pavykdavo išplėšti tašką. Jam grįžtant vėl užsiimti pozicijos, vyresnysis žaidėjas sau atmurmėdavo pa- mokslą, kupiną, kiek Edvardui pavykdavo iš savo aikštelės galo nugirsti, piktų grasinimų sau pačiam. Iš tikrųjų, kartkartėmis Pontingas smarkiai užplodavo raketės plokštuma sau per už- pakalį. Jis ne tik troško laimėti arba lengvai laimėti; jam buvo reikalingas kiekvienas taškas iki paskutinio. Du geimai, ku- riuos jis pralošė pirmame ir trečiame setuose, ir kelios nepri- verstinės klaidos privesdavo jį bemaž iki klyksmų. „O, dievaži, žmogau!", „Nagi, pirmyn!" Pasiųsdamas tiksliai kamuoliuką, jis buvo staigus, ir Edvardas galėjo bent jausti, kad per tris setus jo laimėti dvylika taškų buvo tam tikra pergalė. Jeigu jis būtų paprasčiausiai laimėjęs, niekada nebebūtų gavęs leidimo vėl pamatyti Floransą.

Apskritai Džefris Pontingas savo nervinga ir energinga maniera elgėsi jo atžvilgiu nuoširdžiai. Jeigu Edvardas būdavo namuose, kai jis apie septynias parvažiuodavo iš darbo, sutai- sydavo abiem džino su toniku iš savo gėrimų bufetėlio — to- niko ir džino lygiomis dalimis su daug ledo kubelių. Edvardui ledas gėrimuose buvo naujiena. Juodu sėdėdavo sode ir kalbė- davosi apie politiką — Edvardas daugiausia klausydavosi savo būsimo uošvio nuomonių apie britų verslo nuosmukį, disputus dėl profsąjungų pasidalijimo įtakos sritimis ir kvailystę su- teikti įvairioms Afrikos kolonijoms nepriklausomybę. Net ir sėdėdamas Pontingas neatsipalaiduodavo — balansuodavo ant savo kėdės krašto, pasirengęs bet kurią akimirką pašokti, kalbėdamas judino per kelį aukštyn žemyn koją arba riesdavo pėdų pirštus į ritmą mintims savo galvoje. Jis buvo gerokai žemesnis už Edvardą, bet galingai sudėtas, raumeningų rankų, apžėlusių šviesių plaukų gaurais, kuriuos mėgo demonstruoti vilkėdamas, net darbe, trumparankovius marškinius. Jo plikė irgi tartum rodė valdingumą, o ne amžių — įdegusi oda ant stambaus kiaušo buvo lygi ir įtempta kaip vėjo išpūstos burės. Veidas — taip pat stambus, mažomis mėsingomis lūpomis, ramybės būsenos ryžtingai surauktomis ir sagos pavidalo nosimi, akimis plačiai viena nuo kitos, tad prie tam tikro apšvietimo jis panėšėjo į milžinišką embrioną.

Floransa, regis, niekada nenorėdavo prisidėti prie jų per tuos pašnekesius sode, o galbūt Pontingas jos ten ir nepageidavo. Kiek Edvardui buvo matyti, tėvas ir duktė retai tesikalbėdavo, nebent draugijoje, ir net tuomet be ryšio. Jam atrodė, kad juodu vis dėlto labai vienas kitą supranta, susidarė įspūdis, kad abu mainosi žvilgsniais kitiems žmonėms kalbant, tartum dalytųsi slapta kritika. Pontingas visada uždėdavo ranką apie pečius Rutai, bet niekada Edvardo akivaizdoje neapkabindavo vyresnės jos seser. Kad ir taip, per pokalbius Pontingas dažnai palankiai užsimindavo: „Floransa ir tu" arba „jūs, jaunieji". Tai veikiau jis, o ne Violeta, buvo sujaudintas žinios apie sužadėtuves ir suorganizavo priešpiečius „Randolph" viešbutyje, kur pakėlė pustuzinį tostų. Edvardui šmėstelėjo galvoje mintis, ne itin rimta, kad tėvas labai trokšta iškišti dukterį.

Kaip tik apie šį laiką Floransa pakišo savo tėvui mintį, kad Edvardas galėtų būti naudingas firmai. Vieną sekmadienį Pontingas savuoju „Humber" nusivežė Edvardą į savo fabriką Vitnio pakraštyje, kur buvo projektuojami ir surenkami moksliniai instrumentai, prikimšti tranzistorių. Jis visai neatrodė bent kiek imantis į galvą, kai juodu vaikščiojo tarp sugrūstų darbastalių per kasdienį ištirpusio lydmetalio kvapą, kad Edvardas, tikriausiai apkvaitęs nuo mokslo ir technologijos, nesugebėjo sugalvoti nė vieno įdomaus klausimo. Vis dėlto vaikinas šiek tiek atgijo sutikęs belangiame įslaptintame skyriuje nuplikusį dvidešimt devynerių metų realizacijos vadybininką, įgijusį Darame istorijos mokslų laipsnį ir parašiusį daktarinę disertaciją apie viduramžių vienuolijas šiaurrytinėje Anglijoje. Tą vakarą prie džino ir toniko Pontingas pasiūlė Edvardui darbą: keliauti firmos reikalais, rūpinantis naujais užsakymais. Jam teksią pasiskaityti apie produkciją ir visai mažumėlę — apie elektroniką, o dar net mažiau — apie kontraktinę teisę. Edvardas, vis dar neturėjęs profesinės karjeros planų ir galėjęs lengvai save įsivaizduoti tarp susitikimų rašantį traukiniuose ar viešbučių numeriuose istorijos knygas, priėmė pasiūlymą — daugiau iš mandagumo nei iš tikro suinteresuotumo.

Įvairūs namų ūkio darbai, kuriuos Edvardas pasisiūlydavo atlikti, dar artimiau susiejo jį su Pontingais. Tą 1961-ųjų vasarą jis daug kartų pjovė vejų žolę — sodininko dėl ligos nebuvo — ir priskaldė tris kordus* malkų į stoginę kieme, taip pat antru jų automobiliu, „Austin 35“, dažnai vežiojo į sąvartyną visokį šlamštą iš nenaudojamo garažo, kurį Violeta norėjo paversti bibliotekos tęsiniu. Tuo pačiu automobiliu — jam niekada neleista sėstis į „Humber“ — nuveždavo Flo-

* Malkų tūrio matas (=3,62 m³).

ransos seserį Rutą pas draugus į Teimą, Banberį ir Stratfordą, o paskui iš ten ją pasiimdavo. Šoferiaudavo Violetai — kartą nuvežė ją į Šopenhauerio simpoziumą Vinčesteryje, ir visą kelią ji grizijo Edvardą dėl domėjimosi tūkstantmečio kultais. Kokį vaidmenį turėjo badas ar socialinės permainos pritraukiant sekėjų? Ir dėl antisemitizmo, ir išpuolių prieš Bažnyčią bei pirklius, ar nebūtų galima žiūrėti į tuos judėjimus kaip į ankstyvąją rusiško modelio socializmo atmainą? O paskui, taip pat provokuojamai: ar branduolinis karas nėra šiuolaikinis Apokalipsės iš Apreiškimo knygos ekvivalentas ir ar mes dėl savo istorijos ir savo kaltų prigimčių nesame visada linkę svajoti apie susinaikinimą?

Jis atsakinėjo nervindamasis, suprasdamas, kad tikrinamos jo intelektualinės savybės. Kol jis kalbėjo, juodu jau važiavo per Vinčesterio pakraščius. Akies kampučiu pamatė ją išsiimant pudrinę ir pasipudruojant suvargusį blyškų veidą. Nepaprastai buvo sudomintas jos blyškių, plonų kaip pagaliukai rankų ir smailų alkūnių, ir vėl nusistebėjo, ar ji tikrai galėjo būti Floransos motina. Bet dabar jis turėjo susitelkti, taip pat ir vairuoti. Pasakė manąs, kad skirtumas tarp anų laikų ir dabarties svarbesnis už panašumą. Tai skirtumas tarp, viena vertus, šiurpios ir absurdiškos fantazijos, atsiradusios iš po geležies amžiaus sekusio misticizmo, vėliau pagražinto lengvai įtikimais viduramžių šio ekvivalentais, o kita — racionalios baimės dėl galimo ir siaubą varančio įvykio, kuriam mūsų galioje užkirsti kelią.

Ryžtingo supeikimo intonacija, kuria sėkmingai užbaigė

pokalbį, Violeta atšovė, kad jis nevisiškai ją supratęs. Esmė ne ta, ar viduramžių kultų išpažinėjai klydo dėl Apreiškimo knygos ir pasaulio pabaigos. Žinoma, jie klydo, bet karštai tikėjo esą teisūs ir veikė pagal savo įsitikinimus. Lygiai taip pat ir jis pats nuoširdžiai tikįs, kad branduoliniai ginklai sunaikins pasaulį, ir veikiąs atitinkamai. Visai nesvarbu, kad jis klysta, kad tiesa ta, jog tokie ginklai apsaugo pasaulį nuo karo. Juk toks ir yra atgrasymo tikslas. Be abejo, kaip istorikas, jis mokęsis, kad per šimtmečius masiniai paklydimai buvę dažni. Perpratęs, kad ji panašina jo paramą CND su naryste kokioje nors tūkstantmečio sektoje, Edvardas mandagiai užsisklendė savyje, ir juodu paskutinę pusę mylios važiavo tylomis. Kitą kartą jis vežė Violetą į Čeltenhamą ir atgal, kur ji skaitė paskaitą šeštai mergaičių koledžo klasei apie oksfordinio išsilavinimo pranašumus.

O jo paties lavinimasis stūmėsi palengva. Tą vasarą jis pirmą sykį paragavo salotų su citrinos ir aliejaus uždaru, o per pusryčius — jogurto, žavios tyrelės, apie kurią žinojo tik iš kažkokio Džeimso Bondo romano. Nuolat skubančio jo tėvo gaminami valgiai ir studentiškų dienų mėsos pyragėlių su paskrudintomis bulvėmis režimas nebūtų galėję jo paruošti keistoms daržovėms, — baklažanams, žaliosioms ir raudonosioms paprikoms, cukinijoms ir šparaginėms pupelėms, — kurios nuolatos atsidurdavo priešais jį ant stalo. Per savo pirmąjį apsilankymą jis buvo nustebęs, net šiek tiek sutrikęs, kai Violeta kaip pirmą patiekalą patiekė dubenį ne visai išvirtų žirnių. Jam teko nugalėti nepakantumą česnakui — ne tiek dėl šio skonio, kiek dėl reputacijos. Ruta kikeno ištisas kelias minutes, kol turėjo palikti kambarį, kai jis ilgą prancūzišką batoną pavadino kruasanu. Mat anksčiau padarė įspūdį Pontingams prisipažindamas, kad niekada nebuvęs užsienyje, išskyrus Škotiją — įkopti į tris Noidarto pusiasalio Manrou kalnus. Pirmą kartą savo gyvenime jis susidūrė su „miusliais"*, alyvuogėmis, šviežiais juodaisiais pipirais, duona be sviesto, ančiuviais, ne visai išvirta ėriena, sūriu, kuris buvo ne čederis, daržovių troškiniu, saliami, žuviene su aštriais prieskoniais, ištisais patiekalais be bulvių, o užvis sunkiausia — su rausva žuvų kvapo pasta — „taramasalata"**. Daugelis iš tų dalykų kvepėjo tik šiek tiek atstumiančiai ir kažkaip nenusakomai panėšėjo vienas į kitą. Kartkartėmis, jeigu valgydavo per greitai, jis vos nepaspringdavo.

Kai kurias naujoves jis iškart pamėgo: šviežiai sumaltą ir perkoštą kavą, apelsinų sultis pusryčiams, taukuose konservuotas ančių kulšeles, šviežias figas. Jis tikrai negalėjo žinoti, kokia neįprasta buvo Pontingų padėtis — ištekėjusi už sėkmingai dirbančio verslininko universiteto dėstytoja, Violeta, kadaise Elizabetos Deivid*** draugė, tvarkė namų ūkį pagal kulinarinės revoliucijos avangardą, tuo pat metu skaitydama

---

* Saldus grūdų, džiovintų vaisių, riešutų ir pan. mišinys, valgomas su pienu pusryčiams.
** Graikiškas užkandis iš lengvos žuvų ikrų pastos, alyvuogių aliejaus, citrinos sulčių ir mirkytų duonos trupinėlių arba trintų bulvių.
*** *Elizabeth David (1913-1992)* — garsi dvidešimto amžiaus vidurio britų kulinarijos knygų autorė. Jos nuopelnu laikoma tai, kad padėjo įdiegti į britų namus prancūzų ir italų virtuvės valgių gaminimą.

paskaitas studentams apie monadas ir kategorinį imperatyvą. Edvardas perėmė šias namines sąlygas, nesuvokdamas jų egzotiškos prabangos. Manė, kad būtent šitaip gyvena Oksfordo universiteto dėstytojai, ir nenorėjo išsiduoti, kad tai jam darė įspūdį.

Iš tikrųjų jis buvo pakerėtas, gyveno kaip sapne. Tą karštą vasarą jo geismas Floransai buvo neatsiejamas nuo aplinkos — didelių baltų kambarių su jų medinėmis be mažiausios dulkelės grindimis, šildomų saulės, vėsios, žalios tankaus sodo atmosferos, dvelkiančios į namą pro atdarus langus, kvapnių šiaurinio Oksfordo žiedų, ką tik įsigytų knygų kietais viršeliais, sukrautų ant stalų bibliotekoje, — nauja Airisė Merdok (ji buvo Violetos draugė), naujas Nabokovas, naujas Angus Vilsonas, — ir pirmos savo pažinties su stereofoniniu plokštelių grotuvu. Floransa vieną rytą jam parodė gerai matomas, oranžiškai žėrinčias elektronines stiprintuvo lempas, išsikišančias iš elegantiškai pilko karkaso, ir garsiakalbius aukštumo sulig juosmeniu, paskui uždėjo jam negailestingu garsumu Mocarto „Hafnerio simfonijos" plokštelę. Nuskambėjusi įžanginė oktava pagavo jį savo drąsiu aiškumu, — staiga prieš akis išsiskleidė visas orkestras, — ir iškėlęs kumštį Edvardas sušuko per kambarį, nesibaimindamas, kad kas nors išgirs, jog myli ją. Pasakė tai išvis pirmą kartą — jai ar kam nors kitam. Atsakydama ji be garso, vien lūpomis sudėliojo žodžius ir nusijuokė sužavėta, kad jį pagaliau sujaudino klasikinės muzikos kūrinys. Edvardas perėjo per kambarį ir pamėgino su ja šokti, bet muzika tapo skubri ir nerimastinga, tad juodu pavargę

sustojo, leisdami garsams sūkuriuoti aplinkui, o patys apsi-
kabino.

Kaipgi galėjo Edvardas patsai sau apsimetinėti, kad var-
ganoje jo egzistencijoje tai nebuvo ypatingi išgyvenimai? Jis
prisivertė apie tai negalvoti. Savo temperamentu nebuvo lin-
kęs į savistabą, o slankiojant po Floransos namus su nuolatine
erekcija, — ar bent taip atrodė, — tai kažkiek bukino ar ribojo
jo mintis. Remiantis balsu neišsakytomis namų taisyklėmis,
jam buvo leidžiama dieną drybsoti ant Floransos lovos, kol ji
lavindavosi groti smuiku, jeigu tik miegamojo durys būdavo
paliekamos atdaros. Jis neva turėdavo skaityti knygą, bet ne-
pajėgdavo daryti nieko kita, kaip tik ryti savo draugę akimis,
grožėtis nuogomis jos rankomis, plaukų lankeliu kaip Alisos,
tiesia nugara, mielai pakreiptu smakru, kai laikydavo po juo
pasikišusi instrumentą, krūtų išlinkio siluetu lango fone, tuo,
kaip plaikstydavosi medvilninio jos sijono kraštas apie įdegu-
sias blauzdas, kai braukydavo stryku, o tų blauzdų raumenukai
vilnydavo jai pakrypstant ir siūbuojant. Kartkartėmis ji atsi-
dusdavo dėl kokio nors įsivaizduojamo skambesio ar frazuotės
netobulumo ir vis kartodavo ir karodavo pasažą. Dar vienas
jos nuotaikos rodiklis — tai, kaip versdavo natų puslapius ant
pulto, pereidama nuo vieno prie kito fragmento staigiu riešo
judesiu, o kitais kartais — lėtai, pagaliau patenkinta savimi ar
nujausdama naujus malonumus. Edvardui kėlė jaudulį, bemaž
darė įspūdį tai, kaip ji pamiršdavo jį esant kambaryje — mat
gebėdavo visiškai susikaupti, kai jis pats ištisą dieną galėdavo
tūnoti nuobodulio ir siaučiančios lytinės audros prieblandoje.

Kartais praslinkdavo galbūt visa valanda, kol ji tartum prisimindavo jį esant šalia, ir nors atsisukdavo ir nusišypsodavo, niekada neprisėsdavo greta ant lovos — begalinė profesinė ambicija ar dar vienas namų protokolas suturėdavo ją prie natų pulto.

Juodu pasivaikštinėdavo po bendruomeninę Port Medou pievą, aukštyn palei Temzę iki „Ešerio" aludės ar „Upėtakio" užeigos išgerti pintos alaus. Kai nesikalbėdavo apie savo jausmus, — tie pokalbiai Edvardui pradėjo atrodyti neskanūs, — dalydavosi savo siekiais. Jis plėtojosi apie virtinę glaustų istorijų apie pusiau pamirštas asmenybes, trumpai stovėjusias greta didžių žmonių arba turėjusias neilgą savąją šlovės akimirką. Jis papasakojo jai apie padūkusią sero Roberto Kerio kelionę į šiaurę, apie tai, kaip šis atvyko į karaliaus Jokūbo dvarą kruvinu veidu po kryčio nuo žirgo ir kaip nepaisant visų savo pastangų liko nieko nepešęs. Po pokalbio su Violeta Edvardas nusprendė pridurti vieną iš Normano Kono viduramžių kultų išpažinėjų, keturiolikto amžiaus septintojo dešimtmečio flagelantą mesiją, kurio atėjimas buvo išpranašautas — taip šis ir šio sekėjai skelbė — Izaijo pranašystėse. Kristus esą buvo tik jo pirmtakas, nes jis — Paskutiniųjų dienų valdovas, taip pat ir pats Dievas. Saviplakiai sekėjai vergiškai jam paklusdavo ir melsdavosi. Vadinosi Konradas Šmidas ir, manoma, 1368-aisiais inkvizicijos buvo sudegintas ant laužo, o po to visa milžiniška sekėjų armija paprasčiausiai ištirpo. Kaip Edvardas tai regėjo, kiekviena istorija turėtų būti ne ilgesnė kaip dviejų šimtų puslapių ir išleista su iliustracijomis „Penguin Books" leidyklos, ir galbūt, kai visa serija bus baigta, bus galima įsigyti specialų jos komplektą dėžutėje.

Savaime suprantama, Floransa kalbėjo apie savo planus dėl „Enismoro kvarteto". Prieš savaitę jie nuvykę į buvusį savo koledžą ir sugrojo visą ištisai Bethoveno Razumovskiui dedikuotą Antrąjį styginių kvartetą jos mokytojui. Šis iškart jiems pasakė, kad turį ateitį ir kad bet kuria kaina privalą laikytis kartu ir labai stropiai dirbti. Patarė sutelkti savo dėmesį į repertuarą, pagrindinai rinktis Haidną, Mocartą, Bethoveną ir Šubertą, o Šumaną, Bramsą ir visus dvidešimto amžiaus kompozitorius palikti vėlesniam laikui. Floransa papasakojo Edvardui, kad netrokšta jokio kitokio gyvenimo, kad nepakęstų tuščiai gaišti metus prie į galą nukišto natų pulto kokiame nors orkestre, tariant, jeigu jai net pavyktų gauti vietą. Kvartete darbas toks įtemptas, svarba susikaupti tokia didžiulė, kai kiekvienas muzikantas — tartum solistas, muzika tokia graži ir sodraus skambesio, kad kaskart, kai jie sugrodavo visą kūrinį, atrasdavo ką nors nauja.

Ji visa tai pasakojo žinodama, kad klasikinė muzika jam nieko nereiškia. Jam atrodė geriausia, kai ji klausoma mažu garsumu, kaip fonas — srautas neatskiriamų miaukesių, džyresių ir tūtavimų, kurie turėtų reikšti rimtumą, brandą ir pagarbą praeičiai, bet visiškai neįdomių ir nekeliančių jaudulio. Tačiau Floransa tikėjo, kad jo džiugus šūksnis per „Hafnerio simfonijos" įžangą reiškė persilaužimą, tad pakvietė jį kartu su ja vykti į Londoną ir sėdėti repeticijoje. Jis mielai sutiko — žinoma, norėjo stebėti ją dirbančią, bet dar svarbiau — smalsu buvo pamatyti, ar tas violončelininkas Čarlzas, kurį ji minėdavo gan per dažnai, nors kokia prasme yra varžovas. Jeigu taip, Edvardas manė privaląs pademonstruoti savo buvimą.

Dėl vasarą susidariusio užsakymų pertrūkio fortepijono koncertų salėje visai greta Vigmor Holo leista kvartetui naudotis repeticijų kambariu už simbolinę kainą. Floransa su Edvardu atvyko gerokai anksčiau už kitus, tad ji galėjo surengti jam ekskursiją po Holą. Žaliuoju kambariu, mažutėle persirengimo patalpa, net klausytojų sale ir kupolu vargiai paaiškintum, pamanė jis, jos pagarbą šiai vietai. Mat taip didžiavosi Vigmor Holu, lyg būtų pati jį suprojektavusi. Išsivedė jį į sceną ir paprašė įsivaizduoti jaudulį ir baimę, kai žengi iš užkulisių groti nusimanantiems klausytojams. Įsivaizduoti jis nepajėgė, nors to ir nepasakė. Ji atsivėrė jam, kad šitaip kada nors atsitiks, esanti jau apsisprendusi: „Enismoro kvartetas“ pasirodys čia, gros gražiai ir susilauks triumfo. Jam patiko iškilmingas jos pažado tonas. Pabučiavo ją, o paskui nušoko į klausytojų salę, atsistojo ten trečioje eilėje per patį vidurį ir pasižadėjo tą dieną būti čia, šioje pat vietoje, 9C, ir vadovauti aplodismentams, o paskui ir šauksmams „bravo!“

Prasidėjus repeticijai, Edvardas tyliai sėdėjo jokiais baldais neapstatyto kambario kamp_utyje nepaprastai laimingas. Buvo beatrandąs, kad žmogui būti įsimylėjusiam — tai ne pastovi būsena, o naujų antplūdžių ar bangų reikalas, ir kad dabar jis kaip tik patiria vieną iš tokių. Violončelininkas, aiškiai sutrikęs dėl naujo Floransos draugo, buvo putnus vyrukas, mikčiojantis ir pasibaisėtinai bjaurios odos, ir Edvardas net gebėjo jį užjausti ir kilniaširdiškai atleisti už vergišką pasišventimą Floransai, nes ir pats negalėjo atitraukti nuo jos akių. Kai kibo su savo draugais į darbą, ji atrodė apimta panašaus į transą pasitenkinimo. Užsidėjo savąjį Alisos lankelį, ir Edvardas, belaukdamas repeticijos pradžios, užsisvajojo — ne vien tik apie seksą su Floransa, bet ir apie santuoką, šeimą ir dukterį, kurią juodu galėtų turėti. Be abejo, tai rodė jo brandą, jei svarstė apie tokius dalykus. O galbūt tiesiog tai buvo padorus variantas senos svajonės būti mylimam daugiau nei vienos merginos. Ji paveldėsianti iš savo motinos grožį ir rimtumą, taip pat žavingai tiesią nugarą ir tikrai grosianti kokiu nors instrumentu — tikriausiai smuiku, nors jis nevisiškai atmetė ir elektrinę gitarą.

Tą konkrečią popietę Sonia, altininkė iš to paties bendrabučio koridoriaus kaip ir Floransa, atvyko repetuoti Mocarto kvinteto. Pagaliau jie buvo pasirengę pradėti. Stojo trumputė įtampos tyla, kurią veikiausia būtų buvę galima priskirti pačiam Mocartui. Kai tik jie pradėjo groti, Edvardą priblokšė vien garso stiprumas, skambesio jėga ir tai, kaip švelniai įsiterpia instrumentai, ir ištisas minutes jis tikrai mėgavosi muzika — kol pametė šios giją ir, kaip jau ne kartą yra buvę, nerimastingas to visko manieringumas ir monotonija įvarė jam nuobodulį. Paskui Floransa šūktelėjo sustoti ir ramiai išsakė pastabas, sekė bendra diskusija, iki jie vėl pradėjo groti. Taip atsitiko keletą sykių, ir kartojimasis padėjo atskleisti Edvardui išryškėjančią malonią melodiją ir visokius trumpam įsiterpiančių grojikų sąskambius, taip pat staigius garsų kritimus ir šuolius, kurių jis pradėjo laukti, norėdamas vėl išgirsti. Vėliau, traukinyje namo, jis galėjo visiškai atvirai jai prisipažinti buvęs muzikos sujaudintas ir net paniūniavo atskiras vieteles. Floransa liko tokia pamaloninta, kad darsyk pažadėjo — vėl su tuo žaviu iškilmingumu, kuris tartum dvigubai padidino jos akis: kai ateis didžioji diena „Enismorui" debiutuoti Vigmor Hole, jie sugrosią kvintetą ir šis bus skirtas specialiai jam.

Atsilygindamas jis iš savo namų atsinešė į Oksfordą rinkinį plokštelių, kurias norėjo ją išmokyti mėgti. Floransa sėdėjo visiškai rami ir kantriai, užsimerkusi, itin susikaupusi, klausėsi Čako Berio*. Edvardas manė, kad jo draugei gali nepatikti „Kratykis ant Bethoveno", bet ne — dalykėlis jai pasirodė juokingas. Ji mėgino rasti ką nors pasakyti teigiama apie kiekvieną dainą, bet pasitelkė tokius žodžius kaip „energinga", „linksma" ar „iš širdies", ir jis suprato, kad Floransa paprasčiausiai stengiasi būti maloni. Kai jis užsiminė, kad rokenrolas iš tikrųjų jai „neveža" ir kad nėra ko toliau stengtis, ji prisipažino būtent būgnijimo negalinti pakęsti. Kai melodijos tokios primityvios, daugiausia keturių ketvirtinių metro, kam tas nepaliaujamas bumbsėjimas, trinksėjimas ir barškėjimas tempui palaikyti? Kokia prasmė? Kai jau yra ritminė gitara ir dažnai pianinas? Jeigu muzikantams reikia girdėti taktą, kodėl neįsigyti metronomo? Kas būtų, jeigu „Enismoro kvartetas"

---

* Charles Edward „Chuck" Berry (g. 1926) — amerikiečių gitaristas, dainininkas ir dainų kūrėjas, vienas iš rokenrolo muzikos pionierių.

pasiimtų būgnininką? Jis pabučiavo ją ir pasakė, kad esanti tiesiausia būtybė visoje Vakarų civilizacijoje.

— Betgi tu mane myli, — atsakė ji.

— *Kaip tik todėl* tave myliu.

Rugpjūčio pradžioje, kai susirgo vienas Tervil Hito kaimynas, Edvardui pasiūlytas laikinas darbas dalį dienos aikštelių prižiūrėtoju Tervilio kriketo klube. Jis turėjo atidirbti dvylika valandų per savaitę, nesvarbu kuriuo laiku. Mėgdavo palikti namuką ankstį rytą, net dar neatsikėlus tėvui, ir paukščiams čiulbant neskubiu žingsniu pasivaikštinėti liepų alėja į aikštyną, lyg ta vieta jam priklausytų. Pirmą darbo savaitę jis paruošė aikštę vietiniam derbiui, svarbioms rungtynėms su Stonoru. Nupjovė ir suvolavo žolę, paskui padėjo dailidei, atvykusiam iš Hambeldeno, pastatyti ir nudažyti naują baltą ekraną prie aikštės ribos už metiko kalnelio, kad atmušėjas galėtų matyti kamuoliuką. Kai nedirbdavo ar nebūdavo reikalingas namie, Edvardas patraukdavo tiesiai į Oksfordą — ne vien ilgėdamasis išvysti Floransą, bet taip pat norėdamas sutrukdyti jai apsilankyti ir susipažinti su jo šeima. Nežinojo, ką ji ir jo motina pagalvos viena apie kitą ar kaip Floransa sureaguos į namuko nešvarą ir netvarką. Manė, kad jam reikia laiko abiem moterims paruošti, bet kaip paaiškėjo, apsieita be to: vieną ankstyvą penktadienio popietę per karštį kirsdamas aikštyną, pamatė jo laukiančią Floransą altanos pavėsyje. Mat žinojo jo darbo valandas, įsėdo į ankstų traukinį ir iš Henlio patraukė Stonoro slėnio link, nešina rankoje mastelio vienas colis — mylia žemėlapiu ir pora apelsinų drobinėje kuprinėje. Pusę valandos ji stebėjo jį žymint tolimajame aikštės gale linijas. „Mylėdama jį per atstumą", — pasakė, kai juodu pasibučiavo.

Tai buvo viena iš puikiausių jųdviejų meilės pradžios akimirkų, kai abu susikibę rankomis pamažu ėjo atgalios nuostabiąja alėja, žengė pačiu tako viduriu, kad geriau galėtų gerėtis grožiu. Dabar, kai tai tapo neišvengiama, perspektyva, kad Floransa susidurs su jo motina ir namuku, nebeatrodė taip svarbi. Liepos metė tokią tamsią paunksnę, kad skaisčioje šviesoje atrodė melsvai juodos, o viržynas buvo tankiai prižėlęs šviežių žolių ir laukinių gėlių. Jis puikavosi, kad žino kaimiškus jų pavadinimus ir net atsitiktinai surado šalikelėje guotelį gencijonėlių. Juodu nusiskynė tik vieną. Paskui pamatė praskriejant pro šalį geltonąją startą, žaliukę ir paukštvanagį, kertančius siaurą kampą apie dygiąją slyvą. Floransa net nežinojo pavadinimų paprastų paukščių kaip šie, bet pasakė esanti pasiryžusi mokytis. Jautėsi pakiliai nuo kelio grožio ir savo išmintingai pasirinkto maršruto, kai paliko Stonoro slėnį ir pasuko siauru kaimo keliuku į nuošalų Biks Botomą, pro sukriošusią, gebenėmis apaugusią Šv. Jokūbo bažnyčią aukštyn miškingais šlaitais iki bendruomeninės pievos prie Meidensgrouvo, kur pamatė begalinę platybę laukinių gėlių, paskui per beržyną iki Pišil Benko, kur taip gražiai prie kalvos šlaito glaudėsi bažnytėlė iš plytų ir titnago. Floransai pasakojant apie kiekvieną vietovę, — o jis labai gerai pažinojo jas visas, — Edvardas įsivaizdavo ją žygiuojant vieną pačią pas jį, stabtelint tik susiraukus pasižiūrėti į žemėlapį. Viskas dėl jo. Kas per dovana! Ir jis dar niekada neregėjo jos tokios laimingos ar tokios dailios. Buvo susirišusi atgal plaukus juodo aksomo juostele, mūvėjo juodais džinsais ir avėjo sportbačiais, vilkėjo baltais marškiniais, į kurių sagos kilpelę turėjo viliūgiškai įsivėrusi pienę. Kol juodu žengė namuko link, ji vis timpčiojo jį už žole išteptos alkūnės, reikalaudama dar vieno bučinio, tegul ir iš tų lengvesniųjų, ir nors kartą jis mielai ar bent ramiai susitaikė, kad toliau neisią. Kai Floransa nulupo savo likusį apelsiną jiedviem pasidalyti pakeliui, jos ranka jo delne buvo lipni. Juodu nekaltai džiūgavo dėl jos išmintingos staigmenos, ir gyvenimas abiem atrodė linksmas ir laisvas, visas savaitgalis dar buvo prieš akis.

PRISIMINIMAS APIE TĄ PASIVAIKŠČIOJIMĄ IŠ KRIKETO AIKŠTYno į jų namuką dabar, po metų, savo vestuvių naktį, erzino Edvardą, kai pusiau patamsy atsikėlė iš lovos. Jautėsi draskomas priešingų emocijų ir turėjo laikytis įsitvėręs visų savo geriausių, švelniausių minčių apie ją, antraip jam atrodė, kad nebeatsilaikys, paprasčiausiai joms pasiduos. Eidamas per kambarį pasikelti nuo grindų apatinukių, juto savo kojas sunkias, lyg pripildytas skysčio. Užsimovė apatinukes, pasiėmė kelnes ir ilgokai stovėjo su jomis, nukarusiomis nuo rankos, stebeilydamas pro langą į susigūžusius nuo vėjo medžius, dabar patamsėjusius į ištisinį pilkšvai žalią masyvą. Aukštai danguje spingsojo padūmavęs pusmėnulis, faktiškai nieko neapšviečiantis. Reguliarus bangų mūšos į krantą garsas įsibrovė jam į mintis, tartum staiga jas įjungdamas, ir užliejo nuovargiu; nepermaldaujami fizinio pasaulio dėsniai ir procesai, mėnulis ir potvyniai, kuriais jis apskritai mažai domėjosi, liko nė kiek nepakitę dėl dabartinės jo padėties. Šis akivaizdus faktas buvo itin žiaurus. Kaip galėtų toliau su tuo gyventi — vienas ir be paramos? Ir kaip galėtų nulipti žemyn ir pakrantėje, kur, spėjo jis, dabar Floransa tikriausiai turėtų būti, pažiūrėti jai į akis? Rankoje kelnės atrodė sunkios ir juokingos — tie lygiagretūs audeklo vamzdžiai, viename gale sujungti pagal įnoringą naujausių šimtmečių madą. Jeigu jas užsimautų, sugrįžtų, jam atrodė, į visuomenės gyvenimą, prie savo priedermių ir tikrojo savo gėdos masto. Apsirengęs turės eiti ir ją susirasti. Taigi jis delsė.

Kaip ir daugelis gyvų prisiminimų, šis atėjęs jam į galvą apie pasivaikščiojimą su Floransa Tervil Hito link sukėlė aplinkui save užmaršties pussešėlį. Turbūt, atkakę į namuką, rado jo motiną vieną — tėvas ir mergaitės veikiausiai dar buvo mokykloje. Mardžorė Meihju paprastai nuo svetimo veido susijaudindavo, bet Edvardui neišliko įspūdžio, kaip supažindino su mama Floransą ar kaip ji sureagavo į ankštus ir skurdžius kambarius, į nuotėkų smarvę, visada bjauriausią vasaromis, atsklindančią iš virtuvės. Jis išsaugojo tik nuotrupas prisiminimų apie aną popietę, paskirus vaizdelius kaip senų atvirukų. Vieną — pro purviną, su pinučiais svetainės langą matytą sodo gilumą, kur Floransa ir jo motina sėdėjo ant suolelio, abi su žirklėmis ir *Life* žurnalo egzemplioriais rankose, šnekučiuodamos ir tuo pat metu karpydamos puslapius. Sugrįžusios iš mokyklos mergaitės veikiausiai nusivedė Floransą pažiūrėti ką tik gimusio pas kaimynus asiliuko, nes kitame vaizdelyje jis matė visas tris, susikibusias rankomis, parbrendančias per žalią pievą. Trečiame — Floransa neša padėklą su arbata į sodą jo tėvui. O taip, jis neturėtų nė kiek abejoti, ji buvo geras žmogus, pats geriausias, ir tą vasarą visi Meihju įsimylėjo Floransą. Paskui dvynės drauge su juo nuvyko į Oksfordą ir dieną praleido prie upės su ja ir jos seseria. Mardžorė nuolatos klausinėjo apie Floransą, nors niekaip nepajėgdavo prisiminti jos vardo, o Lajonelis Meihju iš visos savo gyvenimiškos patirties patarinėjo savo sūnui vesti „tą merginą", kol ji nepaspruko.

Jis prisišaukė tuos prisiminimus apie pastaruosius metus — namuko atvirukus, pasivaikščiojimą po liepomis, Oksfordo vasarą — ne iš sentimentalaus troškimo sustiprinti savo širdgėlą ar jai atsiduoti, bet norėdamas ją išsklaidyti ir vėl jaustis įsimylėjusiu, sukliudyti artintis gaivalui, kurio iš pradžių nenorėjo pripažinti — užuomazgoms niūrios nuotaikos, niūresnio vertinimo, pėdsakui nuodo, kuris net jau šiuo metu plito po jo esybę. Pykčiui. Demonui, kurį anksčiau slopino, kai jau manė trūkstant savo kantrybę. Kaip atrodė gundoma šiam pasiduoti ir leisti liepsnoti, būnant čia vienam. Po tokio pažeminimo to reikalavo savigarba. Ir kas bloga vien tik nuo minties? Verčiau baigti su tuo dabar, kol jis čia stovi pusnuogis tarp savo vestuvių nakties griuvėsių. Pasiduoti jam padėjo aiškumas, ateinantis staiga išnykus geismui. Mintys nebebuvo prislopintos ar užtemdytos aistros, ir teismo mediko objektyvumu jis sugebėjo užfiksuoti įžeidimą. Ir koks tai buvo įžeidimas, kokią panieką ji pademonstravo jam, sušukdama iš pasišlykštėjimo ir puldama šluostytis pagalve — šmaukštelėjo it skalpeliu, šitaip išbėgdama iš kambario neištarusi nė žodžio, palikdama jį su bjauria gėdos dėme ir visu nesėkmės slogumu. Ji padarė viską, ką galėjo, kad situaciją dar labiau pablogintų ir paverstų į nebeatitaisomą. Jos akimis esąs niekingas, ji norėjo jį nubausti, palikti vieną apmąstyti savo nevisavertiškumus, nė kiek nepagalvodama apie savuosius. Tikrai, kaip tik slankiodama savo ranka, pirštais privedė jį prie šito. Prisiminus tą prisilytėjimą, tą saldų pojūtį, vėl kylantis lytinis jaudulys pradėjo blaškyti, nuviliodamas nuo slegiančių minčių, gundydamas atleisti jai. Bet jis atsispyrė. Buvo suradęs savo temą ir tęsė ją. Jautė, kad čia pat priešaky kažkas yra svarbesnio, ir štai pagaliau sumojo — prasiveržė į tai kaip koks kalnakasys, prasilaužiantis pro sienas į platesnį tunelį, tamsią magistralę, pakankamai plačią besitvenkiančiam jo įtūžiui.

Viskas aiškiai iškilo prieš akis, ir buvo idiotas, kad to nematė. Kiaurus metus jis pasyviai kankinosi, geisdamas jos iki skausmo, taip pat geisdamas mažų dalykų, apgailėtinų nekaltų dalykų, tokių kaip tikras visavertis bučinys, ir kad ji lytėtų jį ir leistųsi jo lytima. Vienintelį palengvėjimą teikė santuokos perspektyva. O be to, kokių malonumų jie abu vien per Floransą nepatyrė. Jeigu ir nebuvo galima iki vestuvių pasimylėti, tai kam tokie išsidirbinėjimai, tokios susilaikymo kančios? Jis buvo kantrus, dėl nieko nesiskundė — mandagus kvailys. Kiti vyrai būtų reikalavę daugiau arba pasitraukę. Ir jeigu pabaigoje ištisų metų pastangų susivaldyti jis nepajėgė susituretti ir svarbiausiu momentu apsikiaulino, tai atsisakąs prisiimti kaltę.

Štai taip. Atmetąs šį pažeminimą, nepripažįstąs jo. Pasibaisėtina iš jos sušukti nusivylus, išlėkti iš kambario, kai pati buvo kalta. Būtų turėjęs susitaikyti su faktu, kad ji nemėgo bučiuotis, nemėgo, kad jųdviejų kūnai glaustųsi, jis buvo jai neįdomus. Yra neseksuali, visiškai be geismo. Niekada nejausdavo, ką jis jaučia. Kitą žingsnį Edvardas žengė pražūtingai lengvai: ji visa tai žinojo — kaip galėjo nežinoti? — ir apgaudinėjo jį. Ji norėjo vyro vien dėl respektabilumo ar kad įtiktų savo tėvams, arba kad visos taip daro. Arba laikė tai nuostabiu žaidimu. Nemylėjo jo, nepajėgė mylėti taip, kaip vyrai ir moterys mylisi, ir žinodama tai slėpė nuo jo. Ji nesąžininga.

Nelengva gvildenti tokias sunkias tiesas basam ir vien su apatinukėmis. Tad jis užsitempė kelnes, apgraibom susirado kojines ir batus ir vėl pergalvojo viską iš naujo, nugludindamas aštrumus, sunkias pereigas ir jungiančiuosius pasažus, išsklaidžiusius jo paties abejones ir taigi dar labiau sustiprinusius jo argumentus. Tokios savijautos jį vėl užplūdo pyktis, bepasiekiantis aukščiausią tašką, ir būtų beprasmiška, jeigu šis liktų neišsakytas. Viską reikia išsiaiškinti. Floransa turi žinoti, ką jis galvoja ir jaučia — būtina jai pasakyti ir parodyti. Pasičiupęs nuo kėdės švarką, Edvardas išskubėjo pro duris.

PENKTAS

JI STEBĖJO JĮ ATEINANT NERIJA — IŠ PRADŽIŲ JO SILUETAS
atrodė ne daugiau kaip indigo spalvos dėmė tamsėjančio
gargždo fone, kartais nejudanti, šmėkščiojanti ir pakraščiuose
išskystanti, o kartais — staiga priartėjusi, tartum pasislinkusi
it šachmatų figūra kelis langelius jos link. Palei krantą tvyro-
jo paskutinis dienos gaisas, o už jos toliau į rytus spingsojo
Portlando žiburėliai, ir debesies apačioje blausiai atsispindėjo
gelsva tolimo miesto gatvės lempų pašvaistė. Stebėjo, mintimis
ragindama žengti lėčiau, nes kaltai bijojo jo ir desperatiškai
troško daugiau laiko sau. Kad ir koks tarp jųdviejų užsi-
megztų pokalbis, baiminosi šio. Kaip ji suprato, nėra žodžių
įvardyti tam, kas atsitiko, neegzistuoja bendros kalbos, kuria
du sveiko proto suaugę žmonės galėtų apibūdinti vienas kitam
tokius nutikimus. Ir įrodinėti savo nuomones apie tai buvo
dar labiau neįsivaizduojama. Negalėjo būti jokios diskusijos.
Ji nenorėjo apie tai mąstyti ir vylėsi, kad jis jaučiasi taip pat.
Bet apie ką kita jiedviem kalbėtis? Ką kita juodu čia atvertų?
Tas dalykas dunksojo tarp jųdviejų kaip koks nors geografinis
ypatumas — kalnas, kyšulys. Neįvardijamas, neapeinamas. Ir
jai buvo gėda. Likęs sukrėtimas po savo pačios elgesio plito
bangomis jai po kūną, net tartum skambėjo ausyse. Štai kodėl

ji kelionės bateliais nubėgo taip toli nerija per tirštą gargždą — kad paspruktų iš kambario ir nuo visko, kas atsitiko ten, ir kad pabėgtų nuo savęs. Ji elgėsi pasibaisėtinai. *Pasibaisėtinai*. Leido tam griozdiškam, visuomeninio bendravimo vartosenos žodžiui pasikartoti mintyse dar ir dar. Galų gale juk tai atlaidus terminas, — ji žaidžia tenisą pasibaisėtinai, jos sesuo groja pianinu pasibaisėtinai, — ir Floransa žinojo, kad šis veikiau maskuoja, o ne apibūdina jos elgesį.

Tuo pat metu ji suvokė ir Edvardo gėdą — kai buvo pasikėlęs virš jos, su tais sukąstais dantimis, su tuo suglumusiu žvilgsniu, išriesta ir trūkčiojančia nugara kaip roplio. Bet ji stengėsi apie tai negalvoti. Ar drįso sau prisipažinti, kad jai mažumėlę palengvėjo dėl to, kad ne tik pati, bet ir jis turėjo kažką nenormalaus? Kaip baisu, bet ir veiktų raminamai, jeigu jis kentėtų nuo kokios nors įgimtos ligos, šeimyninės bėdos, nuo tokios negalios, kurios gėdijamasi ir apie kurią nutylima, kaip tai būna dėl šlapimo nelaikymo ar dėl vėžio, beje, pastarojo žodžio ji prietaringai niekada garsiai neištardavo iš baimės, kad šis neužkrėstų burnos — žinoma, kvailystė, kurios nė už ką niekam neprisipažintų. Tokiu atveju juodu galėtų gailėtis vienas kito, savo atskirų bėdų susieti meilėje. Ir ji tikrai gailėjosi jo, bet taip pat jautėsi ir šiek tiek apgauta. Jeigu jį kamavo kokia nors neįprasta sveikatos būklė, kodėl jai nepasisakė, nepasitikėjo? Bet ji puikiai suprato, kodėl jis negalėjo to padaryti. Juk ir pati atvirai nepasikalbėjo, kas guli jai ant širdies. Kaipgi galėjo jis pradėti kalbą apie ypatingą savo trūkumą, kokie būtų buvę pirmi jo žodžiai? Jų nėra. Tokia kalba dar neišrasta.

Net šitaip nuodugniai viską permąstydama, ji labai gerai žinojo, kad jam nėra nieko bloga. Visiškai nieko. Pati kalta, tik ji pati. Floransa rėmėsi nugara į didelį gulintį medį, turbūt išmestą į krantą per audrą, nuplėšta bangų galios žieve ir sūraus vandens nugludinta ir sukietėjusia mediena. Patogiai įsispraudusi į šakos kampą, strėnomis juto storame kamiene užsilikusią dienos šilumą. Būtent taip galėtų saugiai glaustis sulenktoje motinos rankoje kūdikis, nors Floransa netikėjo, kad kada nors būtų glaudusis prie Violetos, kurios rankos plonos ir įsitempusios nuo rašymo ir mąstymo. Kai Floransa buvo penkerių, ją prižiūrėjo viena tokia auklytė iš Norlando*, gana apkūni ir motiniška, melodingu škotišku balsu ir raudonais nubrozdintais krumpliais, bet ji po kažkokios neįvardytos nemalonės išėjo.

Floransa toliau stebėjo besiartinantį pakrante Edvardą tikra, kad jis jos dar nemato. Ji galėtų nušokti nuo stataus šlaito ir slapčiomis grįžti atgalios palei Užutėkį, bet nors ir bijojo jo, manė būsiant per žiauru pabėgti. Sidabraspalvio vandens ruožo — srovės, ribuliuojančios toli į jūrą — fone jai trumpai pasimatė jo pečių apybrėžos. Dabar jau girdėjosi jo žingsniai per akmenėlius, o tai reiškė, kad jis išgirstų ir josios. Jo žinota, kuria kryptimi eiti, nes kaip tik taip juodu buvo nusprendę, suplanavę po pietų pasivaikštinėti su buteliu vyno garsiąja gargždo nerija. Pakeliui turėjo rinkti akmenėlius ir lyginti jų

---

* Turima omenyje Norlando medicinos mokykla netoliese Hangerfordo, Berkšyro grafystėje, kur rengiamos ir vaikų auklės.

stambumą, pasitikrindami, ar tikrai audros įvedė pakrantėje bent kiek tvarkos.

Prisiminimas apie tą prarastą malonumą dabar nesukėlė jai ypatingo liūdesio, nes jį tuojau pat pakeitė idėja, pertraukta mintis iš anksčiau vakare. Mylėti ir vienas kitą palikti laisvus. Tokį argumentą ji galėjo iškelti — drąsų pasiūlymą, kaip manė; bet kam nors kitam, taip pat Edvardui, tai galėjo nuskambėti juokingai ir idiotiškai, galbūt net įžeidžiamai. Ji niekada nepajėgė kaip reikiant suvokti savo neišmanymo, nes dėl kai kurių dalykų tarėsi esanti gana išmintinga. Jai reikia daugiau laiko. Bet Edvardas atsiras pas ją jau po kelių sekundžių, ir baisus pokalbis turės prasidėti. Dar viena iš jos silpnybių buvo ta, kad visai nenumanė, kaip turėtų su juo laikytis, nieko nejautė, tik baimę, ką jis galėtų pasakyti ir kokių iš jos būtų laukiama atsakomųjų žodžių. Nežinojo, ar turėtų prašyti jį atleidimo, ar pačiai tikėtis atsiprašymo. Nebebuvo įsimylėjusi arba nustojo mylėjusi — nejautė nieko. Tik troško būti čia viena prieblandoje, rymoti prie savo didžiulio medžio kamieno.

Atrodė, lyg jis neštųsi rankoje kažkokį ryšulį. Sustojo per gero kambario atstumą iki jos, ir tai savaime jai pasirodė nedraugiška, tad ir pati nusiteikė priešiškai. Kodėl jis taip greitai ją atsivijo?

Ir tikrai, jo balse nuskambėjo susierzinimas:

— Tai štai kur tu.

Į tokį kvailą pastebėjimą ji nepajėgė prisiversti atsakyti.

— Ar iš tikrųjų tau reikėjo taip toli nueiti?

— Taip.

— Atgal iki viešbučio bus kokios dvi mylios.

Pati nustebo dėl atžaraus savo balso:

— Nesvarbu, kaip toli. Man reikėjo išsigauti.

Jis nuleido tai negirdomis. Kai perkėlė kūno svorį ant ki-
tos kojos, po jo padais barkštelėjo akmenėliai. Dabar jį pamatė,
kad jis nešėsi švarką. Pakrantėje buvo šilta ir drėgna — šilčiau
negu dieną. Jai nepatiko, kad jis pagalvojo pasiimti švarką. Ge-
rai dar, kad ne su kaklaraiščiu! Dieve, kokia irzli staiga ji pasi-
juto, nors vos prieš kelias minutes gėdijosi dėl savęs. Paprastai
ji taip trokšdavo iš jo išgirsti apie save gerą nuomonę, o dabar
buvo nebesvarbu.

Jis rengėsi iškloti jai, ką atėjo pasakyti, ir žingtelėjo arčiau.

— Klausyk, tai juokinga. Negarbinga šitaip išbėgti.

— Nejaugi?

— Iš tikrųjų, buvo velniškai nemalonu.

— Ak, tikrai? Ką gi, buvo velniškai nemalonu, ką tu pa-
darei.

— Ką turi omenyje?

Užsimerkusi ji atsakė:

— Pats gerai žinai, ką turiu omenyje. — Ji kankinsis pri-
simindama savo vaidmenį šitame apsimainyme žodžiais, bet
dabar pridūrė: — Tai buvo be galo šlykštu.

Jai pasigirdo jį sustenant lyg nuo smūgio į paširdžius.
Jeigu tik sekusi tyla būtų trukusi kelias sekundes ilgiau, kaltės
jausmas galbūt būtų suspėjęs atsigręžti prieš ją ir galbūt ji būtų
pridūrusi ką nors švelnesnio.

Bet Edvardas rėžė iškart:

— Tu visai nežinai, kaip būti su vyru. Jeigu žinotum, to tikrai nebūtų atsitikę. Niekada neprisileisdavai manęs arti savęs. Tu ničnieko nežinai apie tai, a? Laikaisi taip, lyg būtų *tūkstantis aštuoni šimtai* šešiasdešimt antrieji. Tu net nemoki bučiuotis.

Ji išgirdo save sklandžiai atsakant:

— Pažįstu nesėkmę, kai ją matau. — Bet ne tai norėjo pasakyti, toks žiaurumas buvo visiškai jai nebūdingas. Čia tik antras smuikas atliepė į pirmąjį, retorinė replika, išprovokuota staigaus, tikslaus jo išpuolio, išgirstos pašaipos visuose jo kartotuose „tu". Kiek kaltinimų turinti kęsti vienoje trumpoje kalbelėje?

Jeigu ji ir užgavo Edvardą, jis to neišsidavė, nors jo veidą vos matė. Galbūt kaip tik tamsa suteikė jai drąsos. Jis vėl prašneko, nepakeldamas balso:

— Neketinu būti tavęs žeminamas.

— O aš neketinu leistis tavęs prievartaujama.

— Aš tavęs neprievartauju.

— Taip, prievartauji. Visąlaik.

— Tai juokinga. Apie ką tu kalbi?

Ji nebuvo tikra, bet žinojo, kad tai kelias, kurį pasirenkanti.

— Tu nuolatos mane mygi ir mygi, ko nors reikalauji. Niekada negalime tik šiaip sau būti. Niekada negalime vien būti laimingi. Vis tas pastovus spaudimas. Visąlaik nori iš manęs ko nors daugiau. Tos nesibaigiančios pastangos išsivilioti.

— Išsivilioti? Nesuprantu. Tikiuosi, kalbi ne apie pi-
nigus.

Tikrai ne juos ji turėjo galvoje. Anaiptol. Kokia nesąmonė
užsiminti apie pinigus. Kaip jis *drįsta.* Tad atkirto:

— Ką gi, gerai, dabar tu užsiminei apie tai. Aiškiai jie tau
rūpi.

Ją kurstė būtent jo sarkazmas. Arba atsainus tonas. Mat
ji kalbėjo apie kai ką svarbiau nei pinigai, bet nežinojo, kaip
pasakyti. Apie jo liežuvį, besibraunantį vis giliau jai į burną, jo
ranką, smunkančią vis toliau jai po sijonu ar po palaidinuke,
jo ranką, tempiančią josios savo tarpukojo link, apie tai, kaip
savotiškai nukreipdavo nuo jos žvilgsnį ir nutildavo. Nebylus
lūkestis, kad ji leistų daugiau, o kai neleisdavo, sukeldavo ne-
pasitenkinimą, kad viską pristabdanti. Nors ir kokią naują ribą
ji peržengdavo, visada priekyje tykodavo kita. Kiekviena jos
padaroma nuolaida padidindavo reikalavimą, o paskui — nu-
sivylimą. Net ir savo laimingiausiomis akimirkomis visada
likdavo kaltinimo šešėlis, vos slepiama jo rūškana, kad negavo
pasitenkinti, dunksanti it kalno viršūnė — pavidalas nuolati-
nio gailesio, dėl kurio, abu sutarė, buvo atsakinga ji. Ji troško
mylėti ir būti savimi. Bet kad būtų savimi, visąlaik turėjo sakyti
„ne". O paskui ji jau nebebuvo savimi. Buvo pastūmėta link
liguistumo kaip normalaus gyvenimo priešingybės. Ją erzino,
kad jis atsivijo taip greitai pakrante, kai būtų turėjęs duoti laiko
pabūti jai vienai. Ir tai, ką juodu čia, Anglų kanalo krante, turė-
jo, buvo tik mažutė tema didesnėje kompozicijoje. Ji jau matė į
priekį. Juodu pasivaidys, paskui susitaikys ar pusiau susitaikys,

ji bus įkalbėta grįžti į kambarį, o paskui vėl bus iš jos tikimasi. Ir ji vėl apvils. Jai stigo kvapo. Yra ištekėjusi dar tik aštuonias valandas, ir kiekviena valanda slėgė vis sunkiau ir sunkiau, nes ji nežinojo, kaip jam apibūdinti šias savo mintis. Tad visai tiks kalbėti apie pinigus — iš tikrųjų visai gerai tiko, nes dabar jis užpyko:

— Man niekada nerūpėjo pinigai — nei tavo, nei kieno nors kito, — atrėmė.

Floransa žinojo, kad tai tiesa, bet nutylėjo. Jis pakeitė padėtį, tad dabar ji matė jo apybrėžas gęstančio vandens švytėjimo fone.

— Tad pasilaikyk savo pinigus, savo tėvo pinigus, išleisk juos dėl savęs. Įsigyk naują smuiką. Neeikvok jų niekam, kas man praverstų.

Jo balsas nuskambėjo sausai. Ji labai įžeidė jį, labiau, nei norėjo, bet dabar buvo vis vien, o dar geriau, kad nesimatė jo veido. Anksčiau juodu niekada nesikalbėjo apie pinigus. Vestuvinė jos tėvo dovana buvo du tūkstančiai svarų. Ji su Edvardu tik miglotai šnektelėjo, kad kada nors už juos pirks namą.

— Manai, aš išsiviliojau iš tavęs tą darbą? — varė jis toliau. — Pati taip sumanei. O aš jo nenorėjau. Supranti? Nenorėjau dirbti pas tavo tėvą. Gali jam pasakyti, kad aš persigalvojau.

— Pats jam pasakyk. Jam iš tiesų patiks. Tiek dėl tavęs stengėsi.

— Tada gerai. Pasakysiu.

Jis apsisuko ir nuėjo kranto linijos link, bet po kelių žingsnių sugrįžo, su netramdomu įniršiu spardydamas gargždą, žerdamas aukštyn akmenėlius, kurių keli nukrito jai prie kojų. Jo pyktis sužadino ir josios, ir Floransa staiga pagalvojo, kad supranta jųdviejų problemą: abu jie pernelyg mandagūs, pernelyg susivaržę, pernelyg nedrąsūs, vaikštinėja vienas apie kitą ant pirštų galiukų, murma, šnabžda, nusileidžia, sutinka. Juodu vos pažįsta vienas kitą ir niekada negalėjo pažinoti — dėl žmonių kompanijose praktikuojamų pusiau nutylėjimų uždangos, nuslopinusios jųdviejų skirtumus, apakinusios abu tiek pat, kiek ir susaisčiusios. Juodu baimindavosi dėl ko nors nesutarti, ir dabar jo pyktis buvo ją beišlaisvinantis. Ji norėjo jį skaudinti, nubausti, kad galėtų atsiskirti nuo jo. Ta paskata buvo tokia jai nepažįstama, nukreipta į griovimo džiaugsmą, kad nepajėgė šiai atsispirti. Širdis jai smarkai daužėsi, norėjo pasakyti nekenčianti jo, ir buvo jau bebloškianti tuos žiaurius ir nuostabius žodžius, kurių dar niekada gyvenime nebuvo ištarusi, kai jis prašneko pirmas. Sugrįžo prie to, nuo ko ir pradėjo, pasitelkdamas visą savo orumą, kad galėtų jai papriekaištauti:

— Kodėl pabėgai? Iš tavęs tai buvo negražu ir įžeidžiama.

Negražu. Įžeidžiama. Kaip graudu!

Ji atsakė:

— Jau tau sakiau. Man reikėjo išsigauti. Negalėjau tverti ten viduje su tavimi.

— Norėjai mane pažeminti.

— Ak, tada gerai. Jeigu taip nori. Mėginau tave pažeminti. Bent tiek nusipelnai, kai nesugebi susitvardyti.

— Tu kalė, jeigu taip kalbi.

Žodis tvykstelėjo it sprogusi danguje žvaigždė. Dabar ji galėjo kalbėti ką nori.

— Jeigu šitaip manai, tai eik šalin nuo manęs. Tik išnyk, gerai? Edvardai, prašau, eik *šalin*. Nejau nesupranti? Atėjau čia pabūti viena.

Ji žinojo, kad jis supranta su tuo savo žodžiu nuėjęs per toli, ir dabar neranda, kaip grįžti atgal. Nusisukdama nuo jo suvokė vaidinanti, besigriebianti taktikos, už kurią niekino savo ekspansyvesnes drauges. Buvo bepavargstanti nuo pokalbio. Net geriausia baigtis sugrąžintų ją prie dar daugiau tų pačių tylių išsisukinėjimų. Dažnai, kai jausdavosi nelaiminga, ji klausinėdavo savęs, ką labiausiai norėtų padaryti. Šiuo atveju iškart žinojo. Regėjo save devintą ryto Oksfordo geležinkelio stotyje, Londono krypties perone, su smuiko futliaru rankoje, su pluoštu natų ir ryšeliu smailai nudrožtų pieštukų senoje mokyklinėje storos drobės kuprinėje ant pečių, vykstančią į kvarteto repeticiją, link susitikimo su grožiu ir sunkumais, su problemomis, kurios galiausiai bus išspręstos kartu dirbančių draugų. O čia, su Edvardu, nebuvo jokio sprendimo, kurį galėtų įsivaizduoti, nebent pati pasiūlytų, bet šiuo metu ji abejojo, ar turėtų drąsos. Kokia ji nelaisva, susaisčiusi savo gyvenimą su tuo svetimu žmogumi iš Čilterno kalvų kaimelio, žinančiu laukinių gėlių ir pasėlių pavadinimus, taip pat visus viduramžių karalius ir popiežius. Ir kaip keista dabar jai atrodė, kad pati pasirinko šią padėtį, šį susisaistymą.

Tebestovėjo nusigręžusi nugara. Jautė jį priėjus arčiau, įsivaizdavo čia pat už savęs, karančiomis palei šonus rankomis, palengva gniaužiantį ir atgniaužiantį delnus, svarstantį, gal paliesti jai petį. Iš tirštos kalvų tamsos per Užutėkį atskriejo vienišo paukščio giesmė, vingri ir švilpaujanti. Iš melodijos grožio ir paros meto ji būtų spėjusi, kad tai lakštingala. Bet lakštingalos ar gyvena pajūry? Ar gieda liepą? Edvardas žino, bet ji nebuvo nusiteikusi paklausti.

Jis be jausmo pratarė:

— Aš tave mylėjau, bet tu viską taip apsunkinai.

Abu tylėjo, kol jo pavartoto veiksmažodžio laiko potekstė įsitvirtino apie juos. Paskui ji pagaliau prašneko nusistebėdama:

— Tu mane *mylėjai?*

Jis nepasitaisė. Galbūt ir pats buvo ne toks jau prastas taktikas, nes paprastai pasakė:

— Mudu galėjome būti vienas su kitu tokie laisvi, galėjome būti rojuje. O esame atsidūrę šiame jovale.

Gryna to tiesa nuginklavo ją — kaip ir daugiau vilties teikiantis gramatinis laikas. Bet žodis „jovalas" sugrąžino ją prie bjaurios scenos miegamajame, prie drungnos substancijos, džiūstančios jai ant odos į skeldėjančią plutelę. Buvo tikra, jog nė už ką neleis, kad toks dalykas jai vėl atsitiktų.

Tad abejingai atsakė:

— Taip.

— O tai reiškia ką būtent?

— Jovalą.

Stojo tyla, — neapibrėžtos trukmės pato padėtis, — ir per ją juodu klausėsi bangų mūšos, o tarpais — paukščio, kuris jau nuskrido ir kurio silpnesnis šauksmas skambėjo dar aiškiau. Galiausiai, kaip Floransa ir tikėjosi, Edvardas padėjo delną jai ant peties. Prisilytėjimas buvo švelnus, pasiuntęs šilumą stuburu iki pat strėnų. Ji nežinojo, ką galvoti. Nekentė savęs, kad šitaip mėgina viską apskaičiuoti tuo metu, kai turėtų apsisukti, ir pamatė save tokią, kaip galbūt jis mato — keblią ir dygią kaip jos motina, veik neperprantamą, keliančią sunkumus, kai juodu lengvai galėtų būti rojuje. Taigi ji privalėtų pasistengti viską supaprastinti. Tai jos pareiga, santuokinė priedermė.

Apsisukusi ji kiek atsitraukė, kad jis nepasiektų, nes nenorėjo leistis bučiuojama — ne taip iškart. Jai reikėjo aiškių minčių, kad galėtų išdėstyti jam savo planą. Bet juodu vis tiek stovėjo pakankamai arti vienas kito, kad silpnoje šviesoje ji pajėgtų šiek tiek įžvelgti jo veidą. Galbūt mėnulis už jos liko dalinai nepaslėptas debesų. Floransai pasirodė, kad Edvardas žiūri į ją, kaip dažnai žiūrėdavo, — su nuostaba, — kai ketindavo jai pasakyti, kad esanti graži. Niekada ji iš tikrųjų juo netikėdavo ir jausdavosi nesmagiai, kai jis taip pasakydavo, nes galbūt norėdavo ko nors, ko tikrai nesugebėtų duoti. Sutrikdyta šios minties, ji nesumojo, ką atsakyti.

Pasijuto klausianti:

— Ten lakštingala?

— Juodasis strazdas.

— Naktį? — Nepajėgė paslėpti savo nusivylimo.

— Turbūt jam tai geriausias metas. Vargšelis turi labai stengtis. — Paskui jis pridūrė: — Kaip ir aš.

Ji susijuokė. Tartum iš dalies būtų jį pamiršusi, jo tikrąjį būdą, ir dabar štai jis aiškiai stovi priešais ją, žmogus, kurį myli, senas draugas, sakydavęs nenuspėjamus, mielus dalykus. Bet juokas buvo nesmagus, nes ji vis dar šiek tiek pyko. Niekada nepažinojo savo pačios jausmų, nuotaikų, kad tie taip smuktų ir keistųsi. Ir dabar jau buvo pasirengusi pateikti pasiūlymą, vienu požiūriu visai protingą, kitu — ji nebuvo tikra — be galo pasibaisėtiną. Jautėsi, lyg mėgintų iš naujo išrasti patį gyvenimą. Bet jai turėjo nepasisekti.

Padrąsintas jos juoko, jis vėl žingtelėjo arčiau ir pamėgino paimti už rankos, ir vėl Floransa atsitraukė. Svarbiausia blaiviai mąstyti. Prašneko, lyg būtų surepetavusi kalbą mintyse, pradėdama pačiu svarbiausiu pareiškimu:

— Juk žinai, kad tave myliu. Labai labai. Ir žinau, kad tu mane myli. Niekada tuo neabejojau. Man patinka būti kartu su tavimi ir noriu nugyventi dviese visą gyvenimą, o tu sakai, kad irgi tą pat jauti. Viskas turėtų būti visai paprasta. Bet taip nėra — esame atsidūrę jovale, kaip tu pasakei. Netgi šitaip mylėdami. Taip pat aš suprantu, kad tai visiškai mano kaltė, ir abu žinome kodėl. Tau jau turėtų būti gana aišku, kad...

Floransa užsikirto; jis buvo beprabyląs, bet ji pakėlė ranką.

— Kad aš gana beviltiška, visiškai beviltiška seksui. Ne tik kad esu niekam tikusi, bet atrodo, kad man jo ir nereikia kaip kitiems žmonėms, kaip tau. Tiesiog tai nėra kažkas tokio, kas būtų mano dalimi. Man tai nepatinka, nemėgstu apie tai galvoti. Nenutuokiu, kodėl taip yra, bet, manau, tai nepasikeis. Ne tuojau pat. Bent aš negaliu įsivaizduoti, kad tai pasikeistų. Ir jeigu aš nepasakysiu dabar, mes visada su tuo vargsime, ir todėl tu jausies labai nelaimingas ir aš taip pat.

Šįsyk, kai ji padarė pauzę, jis tylėjo. Stovėjo už šešių pėdų, dabar ne daugiau kaip siluetas. Nors ir smelkė baimė, ji prisivertė tęsti:

— Galbūt man reikėtų psichoanalizės. Galbūt iš tikrųjų ko man tereikia — tai nužudyti savo motiną ir ištekėti už tėvo.

Narsus sąmojėlis, kurį anksčiau sugalvojo savo minčiai sušvelninti ar kad nepasirodytų tokia naivi, iš Edvardo nesusilaukė jokio atsako. Liko neįskaitomu dvimačiu šešėliu jūros fone, visiškai sustingusiu. Neužtikrintu, skubriu judesiu ji nejučia kilstelėjo ranką prie kaktos nusibraukti įsivaizduojamą užkritusią plaukų sruogą. Nervindamasi prašneko greičiau, nors žodžius tarė glaustai ir aiškiai. Tartum čiuožėjas ant tirpstančio ledo ji paspartino tempą, kad nenuskęstų. Nešėsi per sakinius, lyg vien sparta padėtų pagimdyti prasmę, lyg ji galėtų ir Edvardą prastumti pro prieštaras, pasukti jį taip greitai savo ketinimų vingiu, kad nesumotų, kaip paprieštarauti. Kadangi nevėlė žodžių, skambėjo, savo nelaimei, labai žvaliai, nors iš tikrųjų buvo bemaž apimta nevilties.

— Aš kruopščiai tai apmąsčiau, ir nėra taip kvaila, kaip galėtų nuskambėti. Turiu omenyje — pirmą sykį išgirdus. Mudu mylime vienas kitą — tai faktas. Nė katras iš mūsų tuo neabejoja. Mes jau žinome, kokius laimingus galime vienas kitą padaryti. Dabar esame laisvi patys rinktis, nulemti savo gyvenimus. Tikrai, niekas negali mums nurodyti, kaip gyventi. Esame laisvieji agentai! Nūnai žmonės gyvena visaip. Gali gyventi pagal savo pačių taisykles ir standartus, neprašydami niekieno leidimo. Mamutė pažįsta du homoseksualus, jie gyvena bute kartu, kaip vyras ir žmona. Du vyrai. Oksforde, Bomonto gatvėje. Abu apie tai nutyli. Abu dėsto Kraistčerče. Niekas jų nejudina. O mes irgi galime nustatyti sau taisykles. Tikrai galiu tau taip sakyti, nes žinau, kad myli mane. Turiu galvoje štai ką — Edvardai, myliu tave, ir neprivalome būti kaip visi kiti, noriu pasakyti, niekas, visiškai niekas... nesužinos, ką mes padarėme ar nepadarėme. Mudu galėtume būti kartu, gyventi kartu, ir jeigu tu norėtum, iš tiesų norėtum, tai yra, kai tai atsitiktų ir, žinoma, atsitiks, aš suprasčiau, dar daugiau, norėčiau to, tikrai, nes noriu, kad tu būtum laimingas ir laisvas. Aš niekada nepavyduliausiu, jeigu tik žinosiu, kad myli mane. Mylėsiu tave ir grosiu muziką, tiek tetrokštu gyvenime. Garbės žodis. Aš tik noriu būti su tavimi, tavimi rūpintis, jaustis laiminga ir dirbti su kvartetu, o kurią nors dieną Vigmoro Hole ką nors dėl tavęs sugroti — ką nors tokio gražaus kaip Mocartas.

Staiga ji nutilo. Neketino kalbėti apie savo muzikinius siekius, pamanė padariusi klaidą.

Jis išleido pro dantis garsą — veikiau sušnypštė, nei atsiduso — ir prašnekdamas kone suunkštė. Buvo taip pasipiktinęs, jog tai nuskambėjo kaip džiūgavimas.

— Dieve mano, Floransa! Ar teisingai supratau? Nori, kad susidėčiau su kitomis moterimis? Taip?

Ji santūriai atsakė:

— Ne, jeigu nenorėtum.

— Sakai man, kad galėčiau tai daryti su bet kuria, jei panorėčiau, tik ne su tavimi.

Floransa tylėjo.

— Negi tu net pamiršai, kad mudu šiandien susituokėme? Juk nesame du seni žydriai, slapčia gyvenantys Bomonto gatvėje. Esame vyras ir žmona!

Žemesni debesys vėl prasiskyrė, ir nors nebuvo tiesioginės mėnesienos, iš aukštesnių sluoksnių smelkėsi silpnas gaisas, slinko pakrante, aprėpdamas porelę, stovinčią šalia didžiulio nuvirtusio medžio. Pagautas įniršio Edavardas pasilenkė pakelti stamboką nugludintą akmenį, kurį tėškė sau į dešinį delną, paskui — į kairį.

Dabar jis beveik šaukė:

— „Savo kūnu aš tave garbinu"! Štai ką šiandien pažadėjai. Visų akivaizdoje. Nejau nesupranti, kokia šlykšti ir juokinga ta tavo mintis? Ir koks tai yra įžeidimas. Įžeidimas man! Noriu pasakyti, noriu pasakyti... — jis ieškojo žodžių, — kaip tu *drįsti*!

Jis žingtelėjo prie jos, iškeltame delne gniauždamas akmenį, paskui apsisuko ir apimtas frustracijos sviedė šį jūros link. Dar tam nenukritus visai netoli vandens krašto, jis vėl apsisuko į ją.

— Tu mane apmovei. Iš tikrųjų esi apgavikė. Ir žinau, kas

dar tu esi. Žinai kas? Frigidiška, štai kas. Visiškai frigidiška. Bet manei, kad tau reikia vyro, ir aš buvau pirmas prakeiktas idiotas, kuris pasitaikė po ranka.

Floransa žinojo, kad nebuvo nusistačiusi jo apgauti, bet visa kita, kai tik jis tai išklojo, atrodė visiška tiesa. „Frigidiška" — suprato, kaip tas baisus žodis jai tinka. Buvo kaip tik tokia, ką tas žodis reiškė. Jos pasiūlyta šlykščiai — kaipgi anksčiau to nesumojo — ir aiškiai įžeidžiamai. O užvis blogiausia — ji sulaužė savo pažadus, duotus viešai, bažnyčioje. Ir vos tik jis jai tai pasakė, viskas puikiai stojosi į vietą. Savo pačios kaip ir jo akyse esanti niekam tikusi.

Ji nebeturėjo ką daugiau pasakyti, tad pasitraukė nuo išplauto į krantą medžio prieglobsčio. Kad galėtų leistis viešbučio link, reikėjo praeiti pro Edvardą, ir šitaip darydama ji sustojo priešais jį ir vos girdimai sušnabždėjo:

— Man gaila, Edvardai. Baisiai baisiai gaila.

Minutėlę pastovėjo, delsė laukdama, kad jis ką nors atsakytų, paskui nuėjo sau.

JOS ŽODŽIAI, YPAČ ŠIŲ ARCHAJIŠKA KONSTRUKCIJA, DAR ILGAI jį persekios. Jis pabusdavo naktimis ir girdėdavo juos ar kažką panašaus į jų aidą ir tą karštai atsiprašomą, apgailestaujamą toną, ir dūsaudavo prisiminęs tą akimirką, savo tylėjimą ir kaip piktai nusigręžė nuo jos, kaip tada dar valandą pasiliko pakrantėje, iki galo mėgaudamasis jos padarytu jam skausmu, skriauda ir įžeidimu, pakylėtas šleikštoko jausmo apie save patį, kad buvęs visiškai ir tragiškai teisus. Vaikštinėjo pirmyn ir atgal jėgas sekinančiu gargždu, svaidydamas į jūrą akmenėlius ir šūkaudamas nešvankybes. Paskui susmuko prie medžio ir pasinėrė į savigailos fantazijas, kol vėl įstengė sukurstyti savo įniršį. Stovėjo prie vandens krašto, mąstydamas apie ją, ir išsiblaškęs nekreipė dėmesio į skalaujančias jo batus bangas. Galiausiai nuklampojo pamažu pakrante, dažnai stabtelėdamas mintyse kreiptis į griežtą ir nešališką teisėją, visiškai suprantantį jo bylą. Savo nelaimėje jautėsi bemaž kilnus.

Kol pasiekė viešbutį, ji jau buvo susikrovusi daiktus ir išvykusi. Nepaliko jokio raštelio. Prie registratūros stalelio jis pasišnekėjo su dviem vaikinais, per pietus patarnavusiais jiems nuo stalelio su ratukais. Nors jie to nepasakė, buvo aiškiai nustebę jį nežinojus, kad šeimoje ištiko kažkokia liga ir ponia buvo skubiai iškviesta namo. Viešbučio administratoriaus pavaduotojas maloniai pavėžėjęs ją iki Dorčesterio, kur ji tikėjosi suspėti į paskutinį traukinį, o paskui persėsti į vėlyvąjį Oksfordo link. Apsisukęs kopti laiptais atgal į medaus mėnesio liuksą, jis, tiesą sakant, nematė jaunikaičių apsimainant reikšmingais žvilgsniais, bet galėjo gana gerai tai įsivaizduoti.

Vis tebeniršdamas, likusią nakties dalį jis su visais drabužiais atsimerkęs pragulėjo ant keturių stulpelių lovos su baldakimu. Mintys vijo viena kitą šokio ratu, sugrįždamos nuolatiniame kliedesyje. Ištekėti už jo, o paskui atstumti — pasibaisėtina, ji norėjo, kad jis prasidėtų su kitomis moterimis, galbūt dargi norėjo stebėti, tai žeminama, neįtikima, ne, niekas tuo nepatikėtų, sakė mylinti jį, o jis išvis vos ne vos matęs jos krūtis, suvedžiojo jį į vedybas, net nemokėjo bučiuotis, apkvailino jį, apstatė, niekas neturi to sužinoti, turi likti gėdinga jo paslaptimi, kad atstūmė jį, baisu...

Prieš pat auštant jis atsikėlė ir perėjo į svetainę. Ten, stovėdamas už savo kėdės, išgramdė jo lėkštėje likusius nuo kepsnio ir bulvių taukus ir suvalgė. Po to ištuštino jos lėkštę — jam buvo nė motais, kieno ši. Paskui sukirto visus mėtinius šokoladukus, o galiausiai ir sūrį. Brėkštant aušrai, jis paliko viešbutį ir mažučiu Violetos Ponting automobiliu mylias važiavo siaurais keliukais su aukštomis gyvatvorėmis pakraščiuose, lydimas pro atdarus langus besiveržiančių šviežio mėšlo ir nušienautos žolės kvapų, kol įsuko į tuščią magistralę, vedančią Oksfordo link.

Paliko automobilį prie Pontingų namo, neištraukęs iš uždegimo spynelės raktelių. Nė nežvilgtelėdamas į Floransos langą, nešinas lagaminu nuskubėjo per miestą, kad suspėtų į ankstyvąjį traukinį. Apdujęs nuo išsekimo, nupėsčiavo ilgą kelią iš Henlio iki Tervil Hito, vengdamas prieš metus jos pasirinkto maršruto. Kodėl turėtų eiti jos pėdomis? Atsidūręs namie, atsisakė ką nors paaiškinti tėvui. O motina jau buvo pamiršusi, kad jis vedė. Dvynės vis kamavo jį klausimais ir gudriomis spėlionėmis. Jis nusivedė jas į sodo gilumą ir privertė Harietę ir Aną prisiekti, kiekvieną atskirai, pridėjus ranką prie širdies, kad niekada daugiau neužsimins Floransos vardo.

Po savaitės jis sužinojo iš tėvo, kad ponia Ponting sėkmingai pasitvarkė, kad būtų grąžintos visos vestuvinės dovanos. Abu kartu, Lajonelis ir Violeta, tylomis pradėjo žygius

dėl skyrybų tuo pagrindu, kad santuokos ryšiu iki galo nepasi-
naudota. Savo tėvo raginamas, Edvardas parašė oficialų laišką
Džefriui Pontingui, „Ponting Electronics" valdybos pirminin-
kui, apgailestaudamas dėl „jausmų permainos" ir nepaminė-
damas Floransos atsiprašė, pareiškė atsisakąs nuo santuokos ir
glaustai atsisveikino.

Po kokių metų, kai pyktis išblėso, jis vis dar buvo perne-
lyg išdidus, kad Floransą aplankytų ar jai parašytų. Baiminosi,
kad galėtų būti su kuo nors kitu, ir nesulaukdamas iš jos jokių
žinių galiausiai liko įsitikinęs, kad taip ir yra. Baigiantis tam
įžymiam dešimtmečiui, kai nuo visų tų naujų įspūdžių, laisvių
ir madų, taip pat ir daugybės meilės ryšių chaoso — pagaliau
jis tapo ganėtinai nusimanantis šioje srityje — įtampa pradėjo
atsiliepti jo gyvenimui, Edvardas dažnai pagalvodavo apie jos
keistą pasiūlymą, ir šis jam nebeatrodė toks juokingas ir tikrai
nebebuvo toks kelias pasidygėjimą ar įžeidžiantis. Naujomis
laikotarpio aplinkybėmis tai atrodė laisva nuo prietarų ir labai
pažangu, nekaltai kilniaširdiška, reiškė pasiaukojimą, kurio jis
visai nepajėgė suprasti. Vyruti, kas per pasiūlymas! — galimas
daiktas, būtų pasakę jo draugai, nors jis apie tą naktį niekam
neprasitarė. Jau tuo metu, į septinto dešimtmečio pabaigą,
Edvardas gyveno Londone. Kas būtų išpranašavęs tokius po-
kyčius — staigų kūniškų malonumų be sąžinės graužaties šuo-
lį, didelių pastangų nereikalaujantį tiekos daug gražių moterų
norą atsiduoti? Edvardas keliavo per tuos metus kaip sutrikęs
ir laimingas vaikas, atleistas nuo užsitęsusios bausmės ir ne
visai dar galintis patikėti savo sėkme. Virtinė trumpų istorijos

knygų ir visos mintys apie rimtą mokslinį darbą jau buvo likusios už jo praeityje, nors taip ir nebuvo kokio nors konkretaus momento, kai jis galutinai apsisprendė dėl savo ateities. Kaip ir vargšas seras Robertas Keris, jis paprasčiausiai iškrito iš istorijos, kad patogiai gyventų dabartyje.

Įsitraukė administruoti įvairius roko festivalius, padėjo įsteigti sveiko maisto restoranėlį Hampstede, dirbo plokštelių parduotuvėje netoliese kanalo Kamdentaune, rašė roko muzikos apžvalgas mažiems žurnalams, turėjo netvarkingą, iš dalies persidengiančią seką meilužių, keliavo po Prancūziją su moterimi, kuri trejiems su puse metų tapo jo žmona, ir gyveno su ja Paryžiuje. Galiausiai tapo daliniu plokštelių parduotuvės savininku. Jo gyvenimas buvo pernelyg veiklus, kad turėtų laiko skaityti laikraščius. Be to, kurį laiką jis laikėsi nuostatos, kad niekas negali tikrai tikėti „objektyvia" spauda, nes visi žino, kad ji kontroliuojama valstybės, karinių ar finansinių interesų — tos pažiūros Edvardas vėliau išsižadėjo.

Jeigu tais laikais jis ir skaitė laikraščius, vargu ar perversdavo meno puslapius, ilgas išsamias koncertų recenzijas. Netikras jo domesys visiškai išblėso rokenrolo naudai. Taigi jis taip ir nesužinojo apie didelio pasisekimo sulaukusio „Enismoro kvarteto" debiutą Vigmor Hole 1968-ųjų liepą. *Times* kritikas sveikino „įsiliejus į dabartinę sceną šviežio kraujo, jaunatviškos aistros". Gyrė „atlikimo gilumą, mąslią energiją, įžvalgą", kurie „rodė stebinančią dar neperkopusių trisdešimties atlikėjų muzikinę brandą. Su meistrišku lengvumu jie valdė visą harmoninių ir dinaminių efektų, sodrios kontrapunktinės kūrybos arsenalą, būdingą vėlyvajam Mocarto stiliui. Jo „Kvintetas D mažor" dar niekada nebuvo taip jautriai perteiktas". Baigdamas savo recenziją, autorius pažymėjo vedantįjį pirmąjį smuiką. „Paskui sekė deginamai išraiškingas nepaprasto grožio ir dvasingos įtaigos Adagio. Panelė Ponting melodingu savo tono švelnumu ir lyrišku frazuotės subtilumu grojo, jeigu aš galiu šitaip pasakyti, kaip įsimylėjusi moteris — ne tik Mocartą ar muziką, bet ir patį gyvenimą."

Ir jeigu Edvardas net būtų perskaitęs tą recenziją, jis nebūtų žinojęs, — niekas nežinojo, išskyrus Floransą, — kad kai užsižiebė salėje šviesos ir kai apstulbę jaunieji atlikėjai atsistojo nusilenkti audringiems aplodismentams, pirmosios smuikininkės žvilgsnis nejučia nuklydo į trečios eilės vidurį, 9C vietą.

Vėlesniais metais, kai tik Edvardas pagalvodavo apie Floransą ir kreipdavosi į ją mintimis ar įsivaizduodavo rašąs jai laišką, arba netikėtai susiduriąs su ja gatvėje, jam atrodydavo, kad užimtų mažiau nei minutę paaiškinti, kaip gyvenęs, mažiau nei pusę puslapio. Ką jis pats veikęs? Plaukęs pasroviui, pusiau miegantis, neatidus, be siekių, nerimtas, bevaikis, gana pasiturintis. Kuklūs jo pasiekimai daugiausia buvo materialiniai. Turėjo butuką Kamdentaune, dalį dviejų miegamųjų kotedžo Overnėje ir dvi specializuotas, džiazo ir rokenrolo, plokštelių parduotuves — nepatikimą verslą, pamažu pakertamą internetinės prekybos. Tarėsi savo draugų laikomas padoriu draugu, ir pasitaikę smagių, padūkusių akimirkų, ypač ankstyvaisiais metais. Buvo penkių vaikų krikštatėvis, nors tiems tik sulaukus

vėlyvos paauglystės ar perkopus dvidešimtį, jis pradėjo įsijausti
į savo vaidmenį.

1976-aisiais mirė Edvardo motina, ir po keturių metų
jis grįžo į namuką kaime rūpintis tėvu, kuris sirgo sparčiai
progresuojančia Parkinsono liga. Harieta ir Ana ištekėjo, pa-
gimdė vaikus ir abi gyveno užsienyje. Tuo metu Edvardas, jau
keturiasdešimties, turėjo už savęs nenusisekusią santuoką. Tris
kartus per savaitę jis vykdavo į Londoną tvarkyti savo par-
duotuvių reikalų. 1983-iaisiais namie mirė jo tėvas ir buvo
palaidotas kapinaitėse už Pišilo bažnyčios, greta savo žmonos.
Edvardas liko namuke kaip nuomininkas — jo seserys dabar
buvo teisėtos savininkės. Iš pradžių jis naudojosi šia vieta kaip
prieglobsčiu, kur kartais galėdavo ištrūkti iš Kamdentauno, o
paskui dešimto dešimtmečio pradžioje persikėlė ten gyventi
vienas. Fiziškai Tervil Hitas, arba Edvardo kampas šiame, ne
taip labai skyrėsi nuo to, kuriame jis užaugo. Tik kaimynai
buvo nebe žemdirbiai ar amatininkai, o važinėjantieji į darbą
sostinėje ir atgal arba antrų namų savininkai, tačiau visi gana
draugiški. Ir Edvardas tikrai nebūtų savęs apibūdinęs kaip ne-
laimingo — tarp londoniškių jo bičiulių buvo moteris, kuria
jis žavėjosi; gerokai perkopęs penkiasdešimtį žaidė kriketą
„Tervil Parko" komandoje, reiškėsi kaip aktyvus Henlio isto-
rikų draugijos narys ir suvaidino tam tikrą vaidmenį atkuriant
senovines rėžiukų lysves Juvelme. Dvi dienas per mėnesį dirb-
davo Hai Vikame įsikūrusiame fonde, padedančiam vaikams
su pažeistomis smegenimis.

Net ir įkopęs į septintą dešimtį, stambus tvirtas vyras

retėjančiais žilais plaukais ir rausvo sveiko veido, jis leisdavosi
į ilgas išvykas pėsčiomis. Į kasdienius savo pasivaikščiojimus
tebeįtraukdavo liepų alėją, o gerais orais pasirinkdavo aplinki-
nį maršrutą pasigrožėti laukinėmis gėlėmis bendruomeninėje
Meidensgrouvo pievoje ar drugeliais Biks Botomo gamtos
draustinyje, per beržyną grįždamas prie Pišilo bažnyčios, kur,
manė jis, ir pats kada nors būsiąs palaidotas. Kartkartėmis
ateidavo prie vietos giliai beržyne, kur šakojosi keliukas, ir
tingiai pagalvodavo, kad turbūt kaip tik čia aną rugpjūčio rytą
Floransa stabtelėjo pasižiūrėti į žemėlapį ir gyvai įsivaizduo-
davo ją vos už kelių pėdų ir keturiasdešimčia metų atgalios
kupiną ryžto jį surasti. Arba jis minutėlę užsilaikydavo prie
atsiveriančio reginio į Stonoro slėnį ir klausdavo savęs, ar kaip
tik čia ji sustojo suvalgyti savo apelsino. Pagaliau jis galėjo sau
prisipažinti dar niekada nesutikęs nė vienos, kurią būtų taip
mylėjęs, kad ir nesuras nieko, vyro ar moters, kurie prilygtų jai
rimtumu. Galimas daiktas, jeigu būtų likęs su ja, būtų buvęs
labiau susitelkęs ir labiau ambicingas dėl savo paties gyveni-
mo, galimas daiktas, būtų parašęs tas istorijos knygas. Nors
tai anaiptol nebuvo iš tų dalykų, apie kurios išmanytų, jis ži-
nojo, kad „Enismoro kvartetas" buvo įžymus ir tebegerbiamas
reiškinys klasikinės muzikos scenoje. Jis niekada nelankydavo
koncertų, nei pirkdavo dėžutėse parduodamus Bethoveno ar
Šuberto kūrinių komplektus ar bent užmesdavo į šiuos akį.
Nenorėjo pamatyti jos nuotraukos ir sužinoti, ką padarė me-
tai, arba išgirsti apie jos gyvenimo smulkmenas. Verčiau buvo
linkęs išsaugoti ją tokią, kokia buvo jo prisiminimuose — su

piene marškinių sagos kilpelėje ir aksomine juostele perrištais plaukais, su drobiniu krepšiu ant peties ir tvirtų kaulų veido su plačia ir natūralia šypsena.

Kai pagalvodavo apie ją, gana nusistebėdavo, kodėl paleido iš rankų tą merginą su smuiku. Dabar, žinoma, jis suprato — nušalinantis save jos pasiūlymas buvo visai nesvarbus. Jai tereikėjo būti tikrái dėl jo meilės ir kad jis nuramintų, jog nėra ko skubėti, kai visas gyvenimas jiedviem dar prieš akis. Meilė ir kantrybė — jeigu tik būtų turėjęs šias abi kartu — tikrai būtų padėjusios jiedviem likti drauge. Ir tuomet kokie negimę vaikai būtų turėję savų galimybių, kokia mergytė su Alisos lankeliu būtų galėjusi tapti jo numylėtine? Štai kaip galima pakeisti visą gyvenimo tėkmę — nieko nedarant. Česilo pakrantėje jis būtų galėjęs šūktelti Floransai, būtų galėjęs leistis įkandin jos. Mat nežinojo arba tikriausiai nenorėjo žinoti, kad pabėgdama nuo jo, iš nevilties tikra, kad jį prarasianti, ji dar niekada jo taip stipriai ar beviltiškai nemylėjo, ir kad nuskambėjęs jo balsas būtų buvęs išsigelbėjimas, ir ji būtų sugrįžusi. Bet ne — jis stovėjo vasaros prieblandoje šaltai ir teisuoliškai tylus, stebėdamas Floransą nuskubančią krantu, o sunkių jos žingsnių garsą stelbė lūžtančių bangelių mūša, kol iš jos teliko neryškus tolstantis taškelis be galo tiesaus, blausioje šviesoje boluojančio gargždo kelio fone.

Šio romano personažai — pramanyti ir neturi nė kiek panašumo į gyvus ar jau mirusius žmones. Viešbutis, kuriame apsistojo Edvardas ir Floransa, — vos mylią nuo Abotsberio, Dorsete, aukštumėlėje už pakrantės automobilių aikštelės, — neegzistuoja.

I. M.

McEwan, Ian

Mc748 Česilo pakrantėje: [romanas] / Ian McEwan; iš anglų kalbos vertė
Jonas Čeponis. — Kaunas: Jotema, [2009.] — 160 p.

ISBN 978-9955-13-224-0

1962-ųjų liepą Edvardas ir Floransa, jauni ir skaistūs, tą rytą susituokę, atvyksta me-
daus mėnesiui į viešbutį Dorseto pakrantėje. Per pietus savo numeryje abu stengiasi nugalėti
kiekvienas savąsias baimes dėl jų laukiančios vestuvių nakties.

UDK 820-3

Ian McEwan

ČESILO PAKRANTĖJE

Redaktorius *Jonas Vabuolas*
Viršelio dailininkė *Vilūnė Grigaitė*
Maketavo *Teresė Vasiliauskienė*

SL 250. 10 sp. l. Užsak. Nr. 91731
UAB „Jotema", Algirdo g. 54, 50157 Kaunas
http://www.jotema.lt
Tel. 337695, el. paštas: info@jotema.lt
Spausdino UAB „Logotipas", Utenos g. 41A, 08217 Vilnius